The Big Guitar Chord Songbook
Best Bands Ever!

CW00687712

Published by:
Wise Publications
8/9 Frith Street, London, W1D 3JB, England.

Exclusive Distributors:
Music Sales Limited
Distribution Centre, Newmarket Road,
Bury St Edmunds, Suffolk, IP33 3YB, England.
Music Sales Pty Limited
120 Rothschild Avenue, Rosebery, NSW 2018, Australia.

Order No. AM983070
ISBN 1-84609-096-2
This book © Copyright 2005 by Wise Publications.

Compiled by Nick Crispin.
Cover photograph courtesy of London Features International.

Printed in the United Kingdom by
Caligraving Limited, Thetford, Norfolk.

www.musicsales.com

Wise Publications
London/New York/Paris/Sydney/Copenhagen/Berlin/Madrid/Tokyo

All You Need Is Love *The Beatles* **4**
Alone Again Or *Love* **6**
Antmusic *Adam & The Ants* **8**
Babe, I'm Gonna Leave You *Led Zeppelin* **12**
Badge *Eric Clapton* **10**
Bankrobber *The Clash* **15**
Been Caught Stealing *Jane's Addiction* **18**
Black Hole Sun *Soundgarden* **21**
Bliss *Muse* **24**
Boys Don't Cry *The Cure* **26**
Caught By The Fuzz *Supergrass* **34**
Coming Around *Travis* **28**
Creep *Radiohead* **30**
The Crystal Ship *The Doors* **32**
Cum On Feel The Noize *Slade* **37**
Dance To The Music *Sly And The Family Stone* **40**
Dedicated Follower Of Fashion *The Kinks* **42**
Distant Sun *Crowded House* **45**
Down Down *Status Quo* **48**
Dream On *Aerosmith* **51**
The Drowners *Suede* **54**
Eight Miles High *The Byrds* **56**
Ever Fallen In Love (With Someone You Shouldn't've) *The Buzzcocks* **58**
Everything I Own *Bread* **60**
Fairytale Of New York *The Pogues & Kirsty MacColl* **62**
Free Bird *Lynyrd Skynyrd* **68**
Get Up, Stand Up *Bob Marley* **71**
Ghost Town *The Specials* **64**
Girls And Boys *Blur* **66**
Going Underground *The Jam* **74**
Goldfinger *Ash* **77**
Hard To Handle *The Black Crowes* **80**
Here She Comes Now *The Velvet Underground* **84**
Heroes And Villains *The Beach Boys* **104**
Hey Joe *The Jimi Hendrix Experience* **88**
Hey Ya! *OutKast* **90**
Highway To Hell *AC/DC* **86**
I Am The Resurrection *The Stone Roses* **94**
I Just Don't Know What To Do With Myself *The White Stripes* **96**
I'm A Believer *The Monkees* **98**
I'm Not In Love *10cc* **100**
It's My Life *Talk Talk* **102**
Jailbird *Primal Scream* **107**
Jeremy *Pearl Jam* **112**
Keep On Running *The Spencer Davis Group* **110**
Keep The Faith *Bon Jovi* **115**
Killer Queen *Queen* **118**
Listen To What The Man Said *Paul McCartney* **122**
Love Is The Drug *Roxy Music* **130**
Love Will Tear Us Apart *Joy Division* **124**
Mad World *Tears For Fears* **126**
The Man Who Sold The World *Nirvana* **128**

Matinée *Franz Ferdinand* **133**
Metal Guru *Marc Bolan* **136**
Mis-Shapes *Pulp* **140**
Monday Monday *The Mamas & The Papas* **138**
Motorcycle Emptiness *Manic Street Preachers* **143**
Mr. Jones *Counting Crows* **152**
My Brother Jake *Free* **146**
My Favourite Game *The Cardigans* **148**
No More Heroes *The Stranglers* **150**
No One Knows *Queens Of The Stone Age* **155**
Nothing Else Matters *Metallica* **172**
One Way *The Levellers* **158**
Pick A Part That's New *Stereophonics* **160**
Pictures Of Lily *The Who* **162**
Presence Of The Lord *Blind Faith* **164**
Private Investigations *Dire Straits* **166**
Psycho Killer *Talking Heads* **168**
Red, Red Wine *UB40* **170**
Regret *New Order* **175**
Relax *Frankie Goes To Hollywood* **178**
Rhiannon *Fleetwood Mac* **182**
Runaway *The Corrs* **185**
Save A Prayer *Duran Duran* **188**
The Scientist *Coldplay* **200**
September Gurls *Big Star* **190**
She's Not There *The Zombies* **192**
Sin City *The Flying Burrito Brothers* **194**
Sit Down *James* **196**
Somewhere Only We Know *Keane* **198**
Stayin' Alive *The Bee Gees* **203**
Stop *The Spice Girls* **206**
Supersonic *Oasis* **209**
Take It Easy *The Eagles* **212**
Take Me With U *Prince & The Revolution* **214**
Teach Your Children *Crosby, Stills, Nash & Young* **216**
Teenage Kicks *The Undertones* **218**
That'll Be The Day *Crickets* **220**
There She Goes *The Las* **222**
This Charming Man *The Smiths* **224**
Times Like These *The Foo Fighters* **226**
Tumbling Dice *The Rolling Stones* **230**
Up Around The Bend *Creedence Clearwater Revival* **228**
Voulez-Vous *Abba* **233**
Wake Me Up Before You Go Go *Wham!* **248**
Walking On The Moon *The Police* **236**
Whiskey In The Jar *Thin Lizzy* **246**
The Whole Of The Moon *The Waterboys* **238**
Wild Thing *The Troggs* **242**
Wish You Were Here *Pink Floyd* **244**
With Or Without You *U2* **251**
You'll Never Walk Alone *Gerry And The Pacemakers* **254**
Playing Guide **256**

All You Need Is Love

Words & Music by John Lennon & Paul McCartney

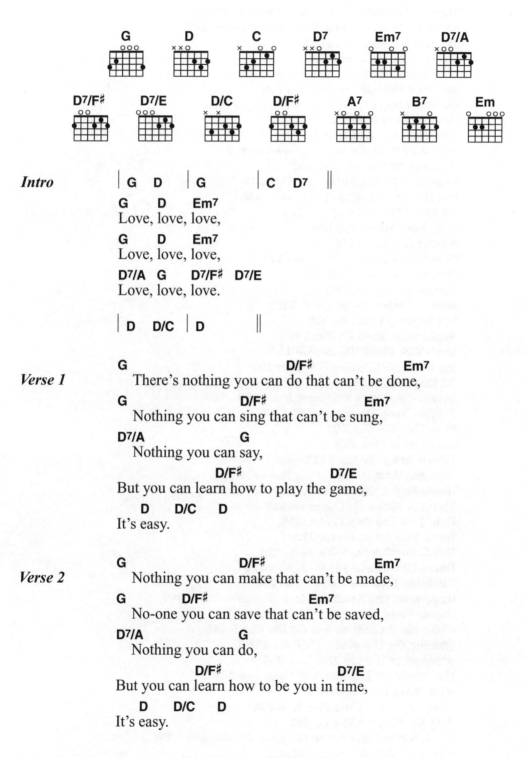

Intro | G   D | G | C   D7 ‖

G   D   Em7
Love, love, love,

G   D   Em7
Love, love, love,

D7/A   G   D7/F#   D7/E
Love, love, love.

| D   D/C | D   ‖

Verse 1

G   D/F#   Em7
   There's nothing you can do that can't be done,

G   D/F#   Em7
   Nothing you can sing that can't be sung,

D7/A   G
   Nothing you can say,

         D/F#   D7/E
But you can learn how to play the game,

    D   D/C   D
It's easy.

Verse 2

G   D/F#   Em7
   Nothing you can make that can't be made,

G   D/F#   Em7
   No-one you can save that can't be saved,

D7/A   G
   Nothing you can do,

       D/F#   D7/E
But you can learn how to be you in time,

    D   D/C   D
It's easy.

Chorus 1

G   A⁷   D   D⁷
All you need is love,

G   A⁷   D   D⁷
All you need is love,

G   B⁷   Em   Em⁷
All you need is love, love,

C   D⁷   G
Love is all you need.

Link

G   D   Em⁷
(Love, love, love,)

G   D   Em⁷
(Love, love, love,)

D⁷/A   G   D⁷/F♯   D⁷/E
(Love, love, love.)

| D   D/C | D   ‖

Chorus 2   As Chorus 1

Verse 3

G   D/F♯   Em⁷
There's nothing you can know that isn't known,

G   D/F♯   Em⁷
There's nothing you can see that isn't shown,

D⁷/A   G
There's nowhere you can be

D/F♯   D⁷/E
That isn't where you're meant to be,

D   D/C   D
It's easy.

Chorus 3   As Chorus 1

Chorus 4   As Chorus 1

Coda

G
Love is all you need.

(Love is all you need.)

(G)
‖: Love is all you need.

(Love is all you need.) :‖ *Repeat to fade*

5

Alone Again Or

Words & Music by Brian MacLean

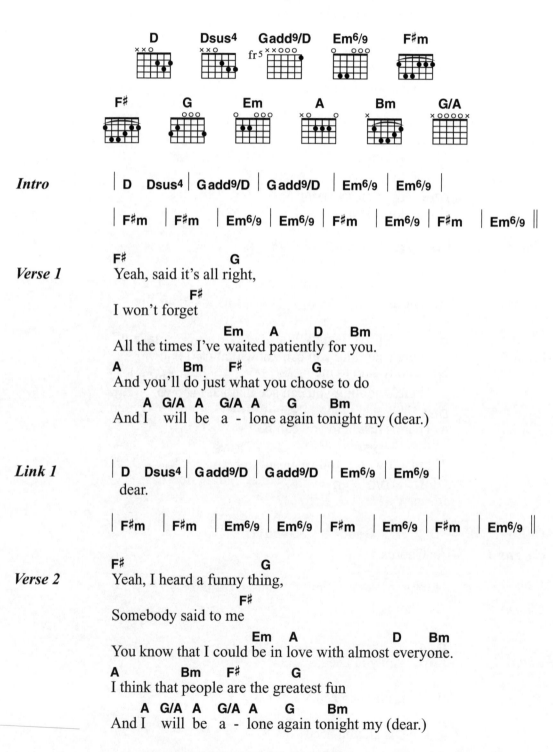

Intro

| D   Dsus4 | Gadd9/D | Gadd9/D | Em6/9 | Em6/9 |

| F#m | F#m | Em6/9 | Em6/9 | F#m | Em6/9 | F#m | Em6/9 ‖

Verse 1

F#   G
Yeah, said it's all right,
     F#
I won't forget
        Em A D Bm
All the times I've waited patiently for you.
A   Bm F#   G
And you'll do just what you choose to do
    A G/A A G/A A G Bm
And I will be a - lone again tonight my (dear.)

Link 1

| D   Dsus4 | Gadd9/D | Gadd9/D | Em6/9 | Em6/9 |
dear.

| F#m | F#m | Em6/9 | Em6/9 | F#m | Em6/9 | F#m | Em6/9 ‖

Verse 2

F#   G
Yeah, I heard a funny thing,
        F#
Somebody said to me
         Em A   D Bm
You know that I could be in love with almost everyone.
A   Bm F#   G
I think that people are the greatest fun
    A G/A A G/A A G Bm
And I will be a - lone again tonight my (dear.)

Link 2 | D Dsus⁴ | Gadd⁹/D | Gadd⁹/D | Em⁶/⁹ | Em⁶/⁹ |
              dear.

               | F♯m | F♯m | Em⁶/⁹ | Em⁶/⁹ | F♯m | Em⁶/⁹ | F♯m | Em⁶/⁹ ‖

Instrumental | F♯ | F♯ | G | G | F♯ | F♯ | Em | A |

               | D | Bm | A | Bm | F♯ | G | G |

               | A   G/A A | A G/A A G/A | G   Bm D ‖

Link 3 | D Dsus⁴ | Gadd⁹/D | Gadd⁹/D | Em⁶/⁹ | Em⁶/⁹ |

               | F♯m | F♯m | Em⁶/⁹ | Em⁶/⁹ | F♯m | Em⁶/⁹ | F♯m | Em⁶/⁹ ‖

Verse 3

F♯   G
Yeah, I heard a funny thing,

               F♯
Somebody said to me

                     Em   A   D   Bm
You know that I could be in love with almost everyone.

A   Bm   F♯   G
I think that people are the greatest fun

      A G/A A G/A A   G   Bm
And I   will be a - lone again tonight my (dear.)

Outro | D | Gadd⁹/D | Gadd⁹/D |
             dear.

              | Em⁶/⁹ | Em⁶/⁹ | Em⁶/⁹ | Em⁶/⁹ | Em⁶/⁹ ‖

Antmusic

Words & Music by Adam Ant & Marco Pirroni

D   E   A   B♭   G   F#

Tune guitar slightly sharp

Intro   **Drums for 12 bars** | D | D ‖

Verse 1
                                   D   **E**   **A**
Well I'm standing here looking at you, what do I see?
       D
I'm looking straight through.
                     E
It's so sad when you're young
        A   **D**
To be told, you're having fun.

Chorus 1
        D   **B♭**   **G**   **F#**
So unplug the jukebox and do us all a favour
D   **B♭**
That music's lost its taste
  G   **F#**
So try another flavour: Ant mu(-sic).

Link 1
   D
{ -sic.
  (Oh-oh-oh-oh-oh,) _____ Ant music, (oh-oh-oh-oh-oh,)
  D
  Ant music, (oh-oh-oh-oh-oh-oh,) Ant music, (oh-oh-oh-oh-oh.)

Verse 2
                    D   **E**
Well I'm standing here, what do I see?
       A   **D**
A big nothing threatening me.
                    E
It's so sad when you're young
        A   **D**
To be told, you're having fun.

| *Chorus 2* | As Chorus 1 |

| *Link 2* | As Link 1 |

Guitar solo   ‖: D | E | A | D   :‖

| *Chorus 3* | As Chorus 1 |

| *Link 3* | As Link 1 |

D   **N.C.**

Verse 3   Don't tread on an ant, he's done nothing to you;

There might come a day when he's treading on you.

Don't tread on an ant you'll end up black and blue;

You cut off his head, legs come looking for you.

| *Chorus 4* | As Chorus 1 |

| *Link 4* | As Link 1 |

| *Chorus 5* | As Chorus 1 |

            D

Coda   ‖: (Oh,) _____ Ant music. :‖   *Repeat to fade*

Badge

Words & Music by Eric Clapton & George Harrison

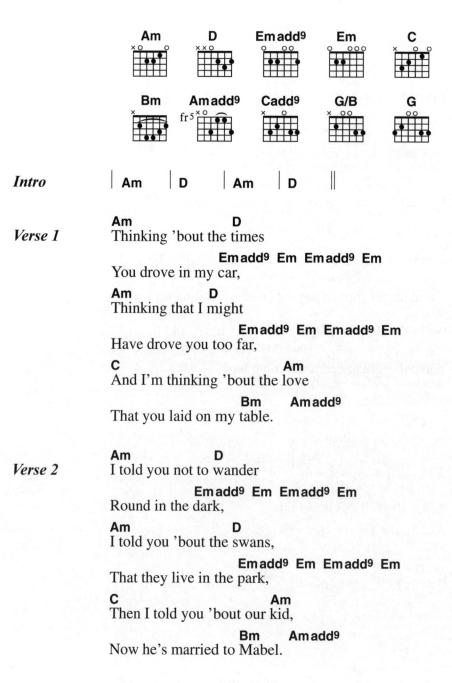

Intro

| Am | D | Am | D |

Verse 1

Am   D
Thinking 'bout the times

           Emadd9 Em Emadd9 Em
You drove in my car,

Am   D
Thinking that I might

           Emadd9 Em Emadd9 Em
Have drove you too far,

C   Am
And I'm thinking 'bout the love

           Bm   Amadd9
That you laid on my table.

Verse 2

Am   D
I told you not to wander

           Emadd9 Em Emadd9 Em
Round in the dark,

Am   D
I told you 'bout the swans,

           Emadd9 Em Emadd9 Em
That they live in the park,

C   Am
Then I told you 'bout our kid,

           Bm   Amadd9
Now he's married to Mabel.

Link | Cadd⁹   G/B G | D | Cadd⁹   G/B G | D   ‖

Bridge
       Cadd⁹   G/B   G   D
Yes, I told you that the light goes up and down.
         Cadd⁹   G/B   G   D
Don't you notice how the wheel goes round?
         Cadd⁹   G/B   G D
And you'd better pick yourself up from the ground
     Cadd⁹   G/B   G   D
Before they bring the curtain down,
       Cadd⁹   G/B G   D
Yes, before they bring the   curtain down.

Solo ‖: Cadd⁹   G/B G | D   :‖ *Play 7 times*

Verse 3
     Am   D
Talking 'bout a girl
                  Emadd⁹ Em Emadd⁹ Em
That looks quite like you,
     Am   D
She didn't have the time
            Emadd⁹ Em Emadd⁹ Em
To wait in the queue.
     C   Am
She cried away her life
            Bm   Amadd⁹
Since she fell out the cradle.

Babe, I'm Gonna Leave You

Words & Music by Anne Bredon
Arranged by Jimmy Page & Robert Plant

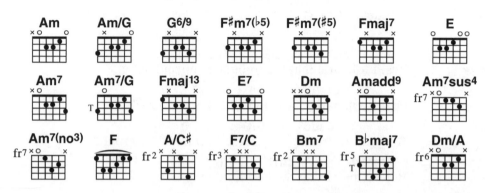

Intro

| Am Am/G G6/9 | F#m7(#5) F#m7(♭5) Fmaj7 E |

| Am7 Am/G Am7/G | F#m7(♭5) Fmaj7 E ‖

Verse 1

Am7 Am/G F#m7(#5) | Fmaj7 E
Babe,   baby,   baby,

      Am7 Am/G F#m7(#5) | Fmaj7 E
I'm gonna leave you.

    Am7 Am/G F#m7(#5) Fmaj7
I said baby,   you   know,

E   Am7 Am/G F#m7(#5) | Fmaj7 E
I'm gonna leave you.

   Fmaj13   E7
I'll leave you when the summertime,

Fmaj13   E7   Am Am/G
  Leave you when the summer comes a-rollin'

F#m7(#5)   Fmaj7   E   Am Am7 Dm
  Leave you when the summer comes a - long.

| Am Am7 | Dm | Am Am7 | Dm | Am Am7 | Dm ‖

Verse 2

Am7   Am/G   F#m7(#5)   Fmaj7 E
Baby, baby, baby, baby, baby, baby, baby, baby,

   Am7   Am/G
I don't wanna leave you,

F#m7(#5)   Fmaj7   E   Am   Am/G
  I ain't jokin' woman, I got to ramble.

cont.

F♯m7(♯5) Fmaj7 E Am7 Am/G   F♯m7(♯5)
Oh,   yeah,   baby, baby, I be - lievin',

      Fmaj7 E   Fmaj13 E7
We really got to ramble.

Fmaj13   E7   Am7   Am/G
I can hear it callin' me the way it used to do,

F♯m7(♯5)   Fmaj7 E   Am   Dm
I can hear it callin' me back home!

| Am Am7| Dm | Am Am7| Dm | Am Am7| Dm |

Instrumental. ‖: Amadd9   Am7(no3) | Am7sus4   Dm/A   :‖ *Play 4 times*

Chorus 1

Am Am/G F♯m7(♯5) F   E   Am   Am/G F♯m7(♯5) F E
Babe——   I'm gonna leave you.

     Am Am/G F♯m7(♯5)   F
Oh, ba - by,   you know,

     E   Am   Am/G   F♯m7(♯5)
I've really got to leave you.

F   E F   E
Oh,   I can hear it callin' me,

F   E   Am   Am7 Dm
I said don't you hear it callin' me the way it used to do?

| Am Am7| Dm | Am Am7| Dm | Am Am7| Dm   ‖

Guitar solo | Am   Am/G | F♯m7(♯5) Fmaj7 E | Am   Am/G | F♯m7(♯5) Fmaj7 E ‖

Verse 3

Am   Am/G   F♯m7(♯5)   Fmaj7
I know, I know, I know, I never, never, never,

     E   Am   Am/G
Never, gonna leave your babe.

F♯m7(♯5)   Fmaj7   E
   But I got to go away from this place,

Am7 Am/G   F♯m7(♯5) Fmaj7 E
      I've got to quit you, yeah,

Am   Am/G F♯m7(♯5) Fmaj7 E
Baby, baby, baby,   baby.

Chorus 2

Am   Am/G F♯m7(♯5) F E
Baby, baby, baby,   ohh.

Am   Am/G F♯m7(♯5)   F   E
Don't you hear it callin' me?

Verse 4

```
Am  Am/G  G6/9 Fmaj7(♭5)  F♯m7(♯5)  Fmaj7  E
          Wo  -  man,
Am          Am/G Fmaj7(♭5)  Fmaj7  E
  Woman,       I know,   I know,
        Am                      Am/G
  It feels good to have you back a - gain
                      F♯m7(♯5)       Fmaj7 E      Am              Am/G
  And I know that one day baby, it's really gonna grow, yes it is.
          Fmaj7(♭5)                  Fmaj7 E     Am
  We gonna go walkin' through the park  every day.
```

Chorus 3

```
Am/G            F♯m7(♯5)        F E
  Come what may, every day,
Am  Am/G  F♯m7(♯5)      F          E
                                I got to leave you

Am  Am/G  F♯m7(♯5)      Fmaj7    E
Woman.
```

Verse 5

```
Am  Am/G  F♯m7(♭5)  Fmaj7  E

Am  Am/G  F♯m7(♭5)  Fmaj7  E

Am  Am/G  F♯m7(♭5)  Fmaj7  E
 It was really, really
Am  Am/G  F♯m7(♯5)       Fmaj7       E      Am
good.         You made me happy every single day
Am/G          F♯m7(♯5)        Fmaj7 E          Am
      But now⎯⎯           I've got to go away!
```

Chorus 4

```
Am/G  F♯m7(♯5)  F   E

Am   Am/G  F♯m7(♯5)  F   E

Am   Am/G  F♯m7(♯5)  F   E

Am   Am/G  F♯m7(♯5)  F   E
    Baby, baby,     baby,
```

Outro

```
F                E7
That's when it's callin' me,
F                          E              A/C♯ F7/C B♭m7 B♭maj7 Amadd9
  I said that's when it's callin' me back home.
```

14

Bankrobber

Words & Music by Mick Jones & Joe Strummer

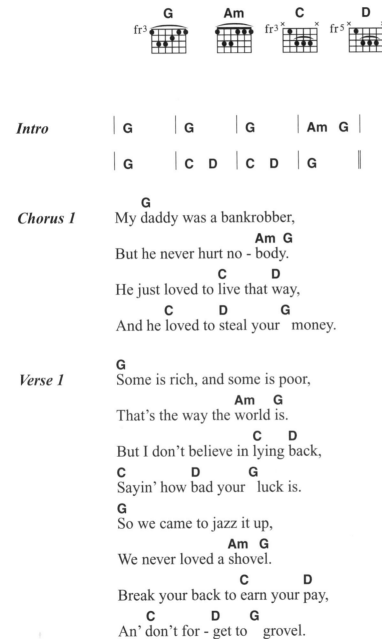

Intro

| G | G | G | Am G |

| G | C D | C D | G |

Chorus 1

    G
My daddy was a bankrobber,
                 Am G
But he never hurt no - body.
              C   D
He just loved to live that way,
         C   D   G
And he loved to steal your   money.

Verse 1

G
Some is rich, and some is poor,
              Am   G
That's the way the world is.
                 C   D
But I don't believe in lying back,
C   D   G
Sayin' how bad your   luck is.
G
So we came to jazz it up,
             Am   G
We never loved a shovel.
               C   D
Break your back to earn your pay,
        C   D   G
An' don't for - get to   grovel.

Chorus 2

G
Daddy was a bankrobber

                      Am G
But he never hurt no - body

               C   D
He just loved to live that way

          C   D   G
And he loved to take your money

Link 1   ‖: G | G | G | Am G |

               | G | C D | C D | G   :‖

Verse 2

    G
The old man spoke up in a bar

                 Am   G
Said I never been in prison

               C   D
A lifetime serving one ma - chine

     C   D   G
Is ten times worse than   prison

G
Imagine if all the boys in jail

                Am G
Could get out now to - gether

                         C   D
Whadda you think they'd want to say to us?

C   D   G
While we was being clever

G
Someday you'll meet your rocking chair

               Am G
Cos that's where we're spinning

                   C   D
There's no point to wanna comb your hair

C   D   G
When it's grey and thinning

Link 2   ‖: G | G | G | Am G |

               | G | C D | C D | G   :‖

Chorus 3   As Chorus 1

                       G
Verse 3   So we came to jazz it up,
                                    Am   G
              We never loved a shovel.
                                C   D
              Break your back to earn your pay,
                       C   D   G
              An' don't for - get to   grovel. Hey!

              | **G** | **G** | **G** | **Am G** | **G** | **C   D** | **C   D   G** |

                       G
              Get a - way, get away, get away, get away,
                                         Am   G
              Get away, get away, get away.

              | **G** | **C   D** | **C   D   G** ‖

Chorus 4   As Chorus 2

              | **G** | **G** | **G** | **Am G** | **G** | **C   D** | **C   D   G** ‖
                     Run rabbit run…

                       G
Verse 4   Strike out boys, for the hills.
                             C   D
              I can't find that hole in the wall
                       C   D   G
              And I know that they never   will.

Chorus 5   As Chorus 2

              Fade out

17

Been Caught Stealing

Words & Music by Perry Farrell, David Navarro, Stephen Perkins & Eric Avery

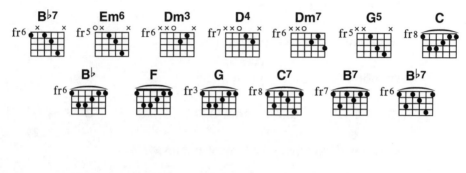

Intro | B♭7 Em6| Dm3/(Gbass) | D4/(G) | Dm3/(G) |

| D4/(G) | Dm3/(G) | D4/(G) | Dm7/(G) | G5 ‖

Verse 1

                           Dm3/(G)   D4/(G)
I've been caught stealing; once when I was five——

               Dm3/(G)
I enjoy steal - ing.

                          D4/(G)
It's just as simple as that.

               Dm3/(G)   D4/(G)
Well, it's just a   simple fact.

                      Dm3
When I want some - thing, man, I

                        D4
Don't want to pay for it.

 C   N.C.   C
I walk right through the door.

B♭   C   B♭   F   G
Walk right through the door.

C   C7
  Hey all right!   If I get by,

B♭7 Em6 N.C. Dm3/(G)   D4/(G)
          It's mine. Mine all mine! Hey!

Link 1 | Dm3/(G) | D4/(G) | Dm3/(G) |

Verse 2

D4/(G)   Dm3/(G)
    Yeah my girl, she's one too.

                  D4/(G)
She'll go and get her a skirt.

               Dm3/(G)
Stick it under her shirt.

                 D4/(G)
She grabbed a razor for me.

     Dm3/(G)   D4/(G)
And she   did it just like that.

          Dm3/(G)   D4/(G)
When she wants something man, she don't want to pay for it.

   C   N.C.   C
She walk right through the door.

B♭   C   B♭   F   G
Walk right through the door.

C   C7
   Hey all right!   If I get by,

B♭7   Em6   N.C. Dm3/(G)   D4/(G)
          It's mine. Mine all mine! Let's go!

Guitar solo   ‖: Dm3/(G) | D4/(G) :‖ *Play 4 times*

Bridge

       C   B♭   B7   B♭7   B7
Da da da da da da da da da da da da da da da da,

       C   B♭   B7   B♭7   B7
Da da da da da da da da da da da da da da da da

Bass link | (G) | (G) | (G) | (G)   ‖

Verse 3

Dm3/(G)
We sat around the pile.

D4/(G)
We sat and laughed.

Dm3/(G)
We sat and laughed and

D4/(G)
Waved it into the air!

Dm3/(G) N.C.   D4/(G)
And we   did it just like that.

Dm3/(G)   D4/(G)
When we wants some - thing man, we don't want to pay for it.

C   N.C.   C
We walk right through the door.

B♭   C   B♭   F   G
Walk right through the door.

C   C7   B♭7 Em6
　Hey all right!   If I get by,

Outro

N.C. C
It's mine, mine, mine, mine,

C7
Mine, mine, mine... mine, mine, all mine...

B♭7 Em6   G
　　It's mine.

Black Hole Sun

Words & Music by Chris Cornell

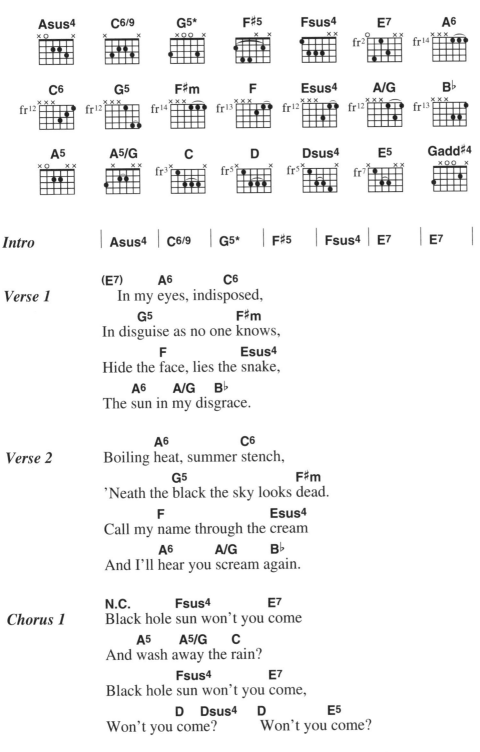

Intro | Asus4 | C6/9 | G5* | F#5 | Fsus4 | E7 | E7 |

Verse 1
      (E7)   A6   C6
    In my eyes, indisposed,
      G5   F#m
In disguise as no one knows,
          F   Esus4
Hide the face, lies the snake,
      A6   A/G Bb
The sun in my disgrace.

Verse 2
          A6   C6
Boiling heat, summer stench,
          G5   F#m
'Neath the black the sky looks dead.
          F   Esus4
Call my name through the cream
          A6   A/G   Bb
And I'll hear you scream again.

Chorus 1
    N.C.   Fsus4   E7
Black hole sun won't you come
        A5   A5/G   C
And wash away the rain?
          Fsus4   E7
Black hole sun won't you come,
          D Dsus4 D   E5
Won't you come?   Won't you come?

Verse 3

     A⁶   **C⁶**
Stuttering, cold and damp,

      G⁵   **F♯m**
Steal the warm wind, tired friend.

      F   **Esus⁴**
Times are gone for honest   men

      A⁶   **A/G**   **B♭**
And sometimes far too long for snakes.

Verse 4

     A⁶   **C⁶**
In my shoes, a walking sleep,

      G⁵   **F♯m**
And my youth I pray to keep.

      F   **Esus⁴**
Heaven send hell away,

      A⁶   **A/G**   **B♭**
No-one sings like you anymore.

Chorus 2

N.C.   **Fsus⁴**   **E⁷**
Black hole sun won't you come

   A⁵   **A⁵/G**   **C**
And wash away the rain?

      Fsus⁴   **E⁷**
Black hole sun won't you come,

      D **Dsus⁴ D** **C**
Won't you come?

      Fsus⁴   **E⁷**
Black hole sun won't you come

   A⁵   **A⁵/G**   **C**
And wash away the rain?

      Fsus⁴   **E⁷**
Black hole sun won't you come,

      D **Dsus⁴ D C E⁵**   **D** **Dsus⁴ D C E⁵**
Won't you come?_____   Won't you come?_____

      D **Dsus⁴ D C E⁵**   **D** **Dsus⁴ D C E⁵**
Won't you come?_____   Won't you come?_____

                  x6

Instrumental ‖: **E⁵** | **Gadd♯4** :‖ **G⁵*** **A⁵** |

Link

     A⁶   **C⁶**
Hang my head, drown my fear

      G⁵   **F♯m**
'Til you all just disappear.

22

Chorus 3

N.C.   **Fsus4**   **E7**
Black hole sun won't you come

      A5   **A5/G**   **C**
And wash away the rain?

          Fsus4   **E7**
Black hole sun won't you come,

         D **Dsus4** **D** **C**
Won't you come?

         Fsus4   **E7**
Black hole sun won't you come

      A5   **A5/G**   **C**
And wash away the rain?

         Fsus4   **E7**
Black hole sun won't you come,

         D **Dsus4** **D** **C** **E5**   **D** **Dsus4** **D** **C** **E5**
Won't you come?_____ Won't you come?_____

         D **Dsus4** **D** **C** **E5**   **D** **Dsus4** **D** **C** **E5**
Won't you come?_____ Won't you come?_____

         D **Dsus4** **D** **C** **E5**   **D** **Dsus4** **D** **C** **E5**
Won't you come?_____ Won't you come?_____

         D **Dsus4** **D** **C** **E5**   **D** **Dsus4** **D** **C** **E5**
Won't you come?_____ Won't you come?_____

| **E5** | **Gadd♯4** | **G5*** | **A5** ‖

Bliss

Words & Music by Matthew Bellamy

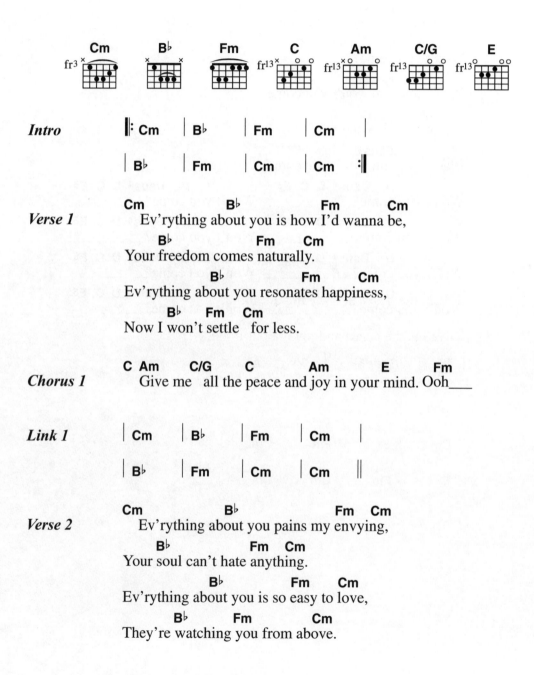

Intro

‖: Cm | B♭ | Fm | Cm |

| B♭ | Fm | Cm | Cm :‖

Verse 1

Cm   B♭   Fm   Cm
Ev'rything about you is how I'd wanna be,

   B♭   Fm   Cm
Your freedom comes naturally.

       B♭   Fm   Cm
Ev'rything about you resonates happiness,

   B♭   Fm   Cm
Now I won't settle   for less.

Chorus 1

C Am   C/G   C   Am   E   Fm
Give me   all the peace and joy in your mind. Ooh___

Link 1

| Cm | B♭ | Fm | Cm |

| B♭ | Fm | Cm | Cm ‖

Verse 2

Cm   B♭   Fm   Cm
Ev'rything about you pains my envying,

   B♭   Fm   Cm
Your soul can't hate anything.

       B♭   Fm   Cm
Ev'rything about you is so easy to love,

   B♭   Fm   Cm
They're watching you from above.

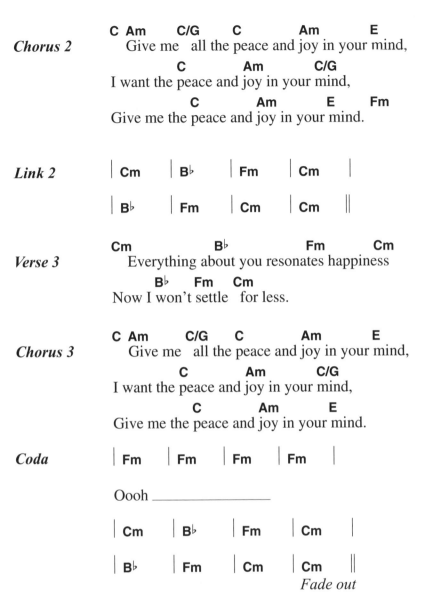

Chorus 2

C Am   C/G   C   Am   E
Give me all the peace and joy in your mind,

           C   Am   C/G
I want the peace and joy in your mind,

               C   Am   E   Fm
Give me the peace and joy in your mind.

Link 2

| Cm | B♭ | Fm | Cm | |

| B♭ | Fm | Cm | Cm | ||

Verse 3

Cm   B♭   Fm   Cm
  Everything about you resonates happiness

        B♭ Fm Cm
Now I won't settle for less.

Chorus 3

C Am   C/G   C   Am   E
Give me all the peace and joy in your mind,

           C   Am   C/G
I want the peace and joy in your mind,

               C   Am   E
Give me the peace and joy in your mind.

Coda

| Fm | Fm | Fm | Fm | |

Oooh _____

| Cm | B♭ | Fm | Cm | |

| B♭ | Fm | Cm | Cm | ||

Fade out

Boys Don't Cry

Words by Robert Smith

Music by Robert Smith, Laurence Tolhurst & Michael Dempsey

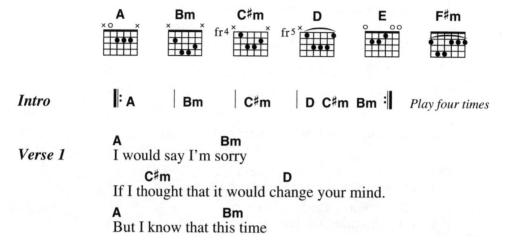

Intro   ‖: A | Bm | C#m | D C#m Bm :‖   *Play four times*

Verse 1
```
      A                Bm
I would say I'm sorry
        C#m                    D
If I thought that it would change your mind.
      A                Bm
But I know that this time
            C#m
I have said too much,
      D
Been too unkind.
```

Prechorus 1
```
C#m      Bm
   I try to laugh about it,
C#m             Bm
Cover it all up with lies.
C#m      Bm
   I try to laugh about it,
C#m                     Bm
Hiding the tears in my eyes.
```

Chorus 1
```
                A Bm  C#m D C#m Bm
'Cause boys   don't cry.
A    Bm  C#m D C#m Bm
Boys don't cry.
```

Verse 2
```
      A                Bm
I would break down at your feet
        C#m                D
And beg forgiveness, plead with you.
      A              Bm
But I know that it's too late
        C#m                    D
And now there's nothing I can do.
```

Prechorus 2   As Prechorus 1

Chorus 2   As Chorus 1

Verse 3

    A   Bm
I would tell you that I loved you
C♯m   D
If I thought that you would stay.
A   Bm
But I know that it's no use,
      C♯m   D
That you've already gone away.

Middle

    E   F♯m
  Misjudged your limits,
    E   F♯m
  Pushed you too far.
    E   F♯m
   Took you for granted,
    D   E
I thought that you needed me more, more, more.

Verse 4

        A   Bm
Now I would do most anything
    C♯m   D
To get you back by my side.
A   Bm
But I just keep on laughing,
C♯m   D
Hiding the tears in my eyes.

Chorus 3

        A Bm   C♯m D C♯m Bm
'Cause boys don't cry.
A   Bm   C♯m D C♯m Bm
Boys don't cry.
A Bm   C♯m D C♯m Bm
   Boys don't cry.

| A | Bm | C♯m | D C♯m Bm | A |

27

Coming Around

Words & Music by Fran Healy

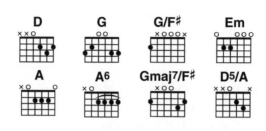

Verse 1

D   G   G/F♯ Em
Mothers see it coming around

                        A
They know they got their heads screwed on

D   G   G/F♯ Em
I'm standing in the middle of town

               A
I know I might never come home

     Em   A6
Just standing where I am with all the people passing by me

D   G   Gmaj7/F♯
The sound of all these passers-by mixed in with the bus and motorcar

   Em
I must be sure these are the signs

                      A
'Cause I've been here a million times before.

Chorus 1

                 D   G   D D5/A   Em
Just tell me when it's coming around,＿ coming around

                  D   G   D D5/A   Em   G
I think I see you coming to town,＿ hunting you down

             Em   G
Bringing you round.

Verse 2

D   G   G/F♯ Em
Tell me if I'm bringing you down

                 A
'Cause I was fine till you came along

D   G   G/F♯ Em
You tell me that the tears of a clown clown

                   A
That I'm confusing while abusing my mind

     Em   A
So far away I wanna be that's not as close to you and me

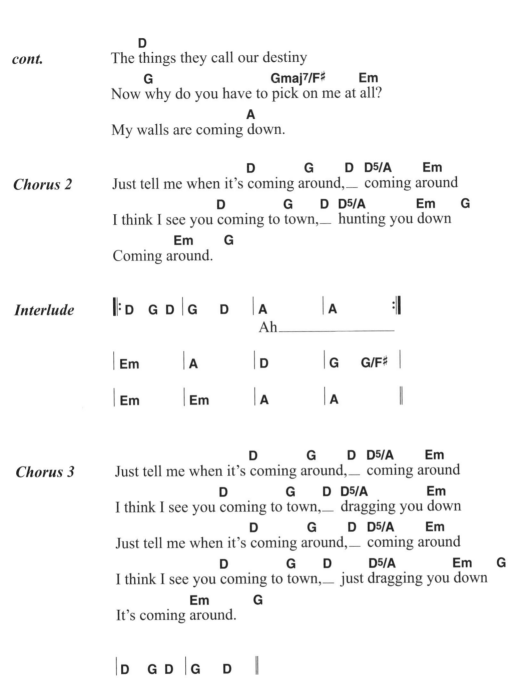

cont.

       D
The things they call our destiny
    G   Gmaj⁷/F♯   Em
Now why do you have to pick on me at all?
               A
My walls are coming down.

Chorus 2

                      D   G   D D5/A   Em
Just tell me when it's coming around,— coming around
                    D   G   D D5/A   Em   G
I think I see you coming to town,— hunting you down
          Em   G
Coming around.

Interlude

‖: D G D | G   D |A |A   :‖
              Ah———————

|Em |A |D |G   G/F♯ |

|Em |Em |A |A   ‖

Chorus 3

                      D   G   D D5/A   Em
Just tell me when it's coming around,— coming around
                    D   G   D D5/A   Em
I think I see you coming to town,— dragging you down
                      D   G   D D5/A   Em
Just tell me when it's coming around,— coming around
                    D   G   D   D5/A   Em   G
I think I see you coming to town,— just dragging you down
          Em   G
It's coming around.

|D G D | G   D ‖

Creep

Words & Music by Thom Yorke, Jonny Greenwood, Colin Greenwood,
Ed O'Brien, Phil Selway, Albert Hammond & Mike Hazlewood

G   B   Bsus4   C   Csus4   Cm   C7sus4

Intro | G | G | B | Bsus4 B |

| C | Csus4 C | Cm | Cm   ‖

Verse 1
            G
When you were here before

                    B
Couldn't look you in the eye,

          C
You're just like an angel,

               Cm
Your skin makes me cry.

           G
You float like a feather

            B
In a beautiful world.

        C
I wish I was special,

              Cm
You're so fuckin' special

Chorus 1
         G   **B**
But I'm a creep, I'm a weirdo.

                 C
What the hell am I doing here?

       Cm   **C7sus4**
I don't be - long here.

Verse 2
         G
I don't care if it hurts,

      B
I wanna have control,

       C
I wanna perfect body,

cont.

          Cm
I wanna perfect soul.

        G
I want you to notice

         B
When I'm not around,

           C
You're so fuckin' special

        Cm
I wish I was special...

Chorus 2
        G   **B**
But I'm a creep, I'm a weirdo.

            C
What the hell am I doing here?

       Cm
I don't be - long here.

C7sus4
Oh, oh.

Bridge
  G   **B**
She's running out a - gain,

C
She's running out

   Cm
She's run, run, run,

G   **B** **C**   **Cm**
Run.   Run...

Verse 3
              G
Whatever makes you happy

        B
Whatever you want,

          C
You're so fuckin' special

       Cm
I wish I was special...

Chorus 3
        G   **B**
But I'm a creep, I'm a weirdo,

            C
What the hell am I doing here?

       Cm
I don't be - long here,

      G
I don't be - long here.

The Crystal Ship

Words & Music by The Doors

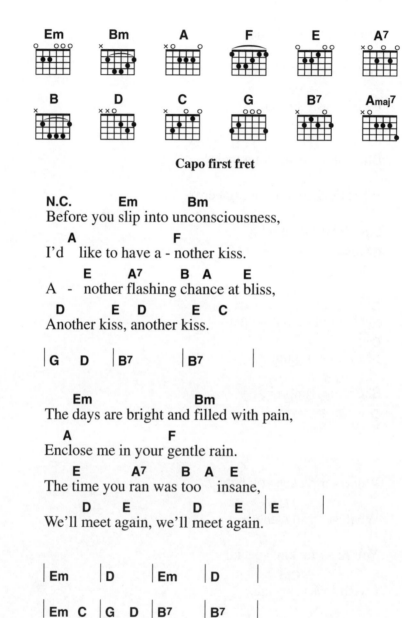

Capo first fret

Verse 1

N.C.   Em   Bm
Before you slip into unconsciousness,

   A   F
I'd   like to have a - nother kiss.

       E   A7   B A   E
A - nother flashing chance at bliss,

    D   E D   E C
Another kiss, another kiss.

| G D | B7 | B7 | |

Verse 2

    Em   Bm
The days are bright and filled with pain,

   A   F
Enclose me in your gentle rain.

     E   A7   B A E
The time you ran was too   insane,

       D   E   D   E |E |
We'll meet again, we'll meet again.

Link

| Em | D | Em | D | |

| Em C | G D | B7 | B7 | |

Verse 3

Em   Bm
Oh tell me where your freedom lies,

    Amaj7   F
The streets are fields that never die.

        E   A7   B A E
De - liver me from reasons why,

      D   E   D   E |E |
You'd rather cry, I'd rather fly.

Verse 4

         Em   Bm
The crystal ship is being filled,

    Amaj7   F
A thousand girls, a thousand thrills.

  E   A7   B A   E
A mil - lion ways to spend your time,

    D   E   D   E
When we get back, I'll drop a line.

Caught By The Fuzz

Words & Music by Gareth Coombes, Daniel Goffey & Michael Quinn

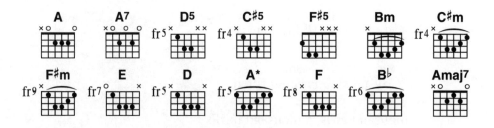

Intro | A | A | A | A |

| A7 | A7 | A7 | A7 ‖

Verse 1

   A7   D5
   Caught by the fuzz

      C#5
Well I was,

         F#5
Still on the buzz

A7   D5
   In the back of the van

      C#5   F#5
With my   head in my hands.

A7   D5
   It's like a bad dream

      C#5   F#5
I was   only fif - teen.

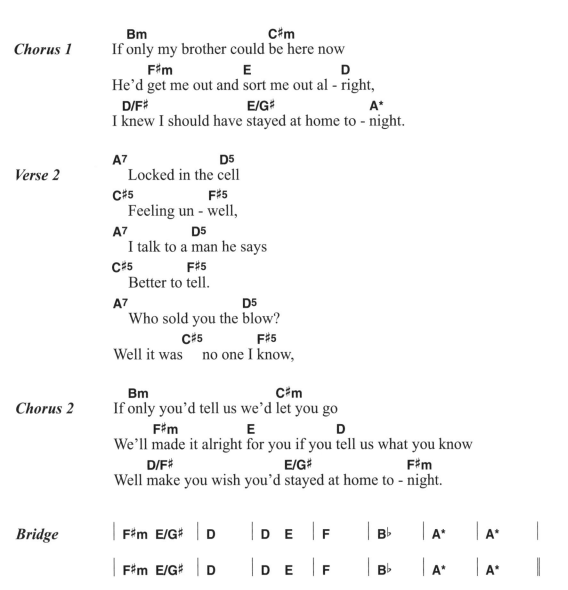

Chorus 1

     Bm   C♯m
If only my brother could be here now
       F♯m   E   D
He'd get me out and sort me out al - right,
     D/F♯   E/G♯   A*
I knew I should have stayed at home to - night.

Verse 2

  A7   D5
    Locked in the cell
C♯5   F♯5
    Feeling un - well,
A7   D5
    I talk to a man he says
C♯5   F♯5
    Better to tell.
A7   D5
    Who sold you the blow?
         C♯5   F♯5
Well it was   no one I know,

Chorus 2

     Bm   C♯m
If only you'd tell us we'd let you go
       F♯m   E   D
We'll made it alright for you if you tell us what you know
     D/F♯   E/G♯   F♯m
Well make you wish you'd stayed at home to - night.

Bridge

| F♯m E/G♯ | D | D E | F | B♭ | A* | A* | |
| F♯m E/G♯ | D | D E | F | B♭ | A* | A* ‖ |

35

Verse 3

    A⁷   **D5**
    Here comes my mum

         C♯5   **F♯5**
Well she   knows what I've done.

A⁷   **D5**
    Just tell them the truth,

C♯5   **F♯5**
    You know where it's from.

A⁷   **D5**
You've blackened our name

         C♯5   **F♯5**
Well you,   you should be a - shamed

Chorus 3

       Bm   **C♯m**
If only your father could be here now

    F♯m   **E**   **D**
He'd break down and he'd throw you out for sure

  D/F♯   **E/G♯**   **A***
I never should have let you out to - night,

Outro

Tonight, tonight, tonight

    Amaj⁷
To - night, tonight, tonight, tonight

    A
To - night, tonight, tonight, tonight

    Amaj⁷
To - night, tonight, tonight, tonight

    A
To - night.

Cum On Feel The Noize

Words & Music by Jim Lea & Noddy Holder

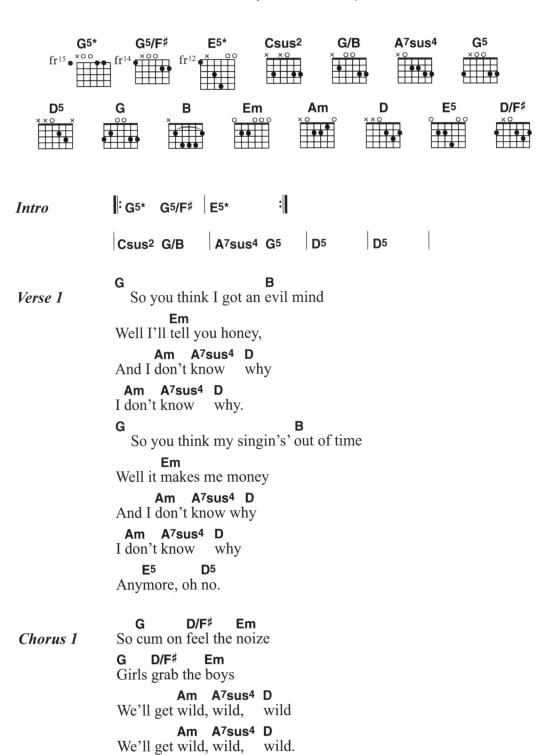

Intro

‖: G5* G5/F♯ | E5* :‖

| Csus2 G/B | A7sus4 G5 | D5 | D5 |

Verse 1

G   B
So you think I got an evil mind

     Em
Well I'll tell you honey,

    Am   A7sus4 D
And I don't know   why

   Am   A7sus4 D
I don't know   why.

G   B
So you think my singin's' out of time

     Em
Well it makes me money

    Am   A7sus4 D
And I don't know why

   Am   A7sus4 D
I don't know   why

     E5   D5
Anymore, oh no.

Chorus 1

     G   D/F♯   Em
So cum on feel the noize

G   D/F♯   Em
Girls grab the boys

       Am   A7sus4 D
We'll get wild, wild,   wild

       Am   A7sus4 D
We'll get wild, wild,   wild.

cont.

G   D/F♯   Em
So cum on feel the noize

G   D/F♯   Em
Girls grab the boys

          Csus2 G/B A7sus4 G5
We'll get wild,   wild, wild

      D
Until dawn.

Verse 2

  G   B
  So you say I got a funny face

     Em
I ain't got no worries,

     Am   A7sus4 D
And I don't know   why

     Am   A7sus4 D
And I don't know   why.

G   B
  Say I'm a scumbag well it's no disgrace

     Em
I ain't in no hurry

     Am   A7sus4 D
And I don't know   why

     Am   A7sus4 D
I just don't know   why

   E5   D5
Anymore, oh no.

Chorus 2

   G   D/F♯   Em
So cum on feel the noize

G   D/F♯   Em
Girls rock the boys

        Am   A7sus4 D
We'll get wild, wild,   wild

        Am   A7sus4 D
We'll get wild, wild,   wild.

   G   D/F♯   Em
So cum on feel the noize

G   D/F♯   Em
Girls rock the boys

          Csus2 G/B A7sus4 G5
We'll get wild,   wild, wild

      D
Until dawn.

Instrumental   ‖: **G5***   **G5/F♯** | **E5***   *x2* :‖

| **Csus2 G/B** | **A7sus4 G5** | **D5** | **D5** |

Verse 3

    G   **B**
So you think we have a lazy time
          Em
Well you should know better.
        Am   **A7sus4 D**
And I don't know   why
        Am   **A7sus4 D**
I just don't know   why.
   G   **B**
And you say I got a dirty mind
          Em
Well I'm a mean go-getter
        Am   **A7sus4 D**
And I don't know   why
        Am   **A7sus4 D**
And I don't know   why
    E5   **D**
Anymore, oh no.

Chorus 3   As chorus 2   *(repeat to fade)*

Dance To The Music

Words & Music by Sylvester Stewart

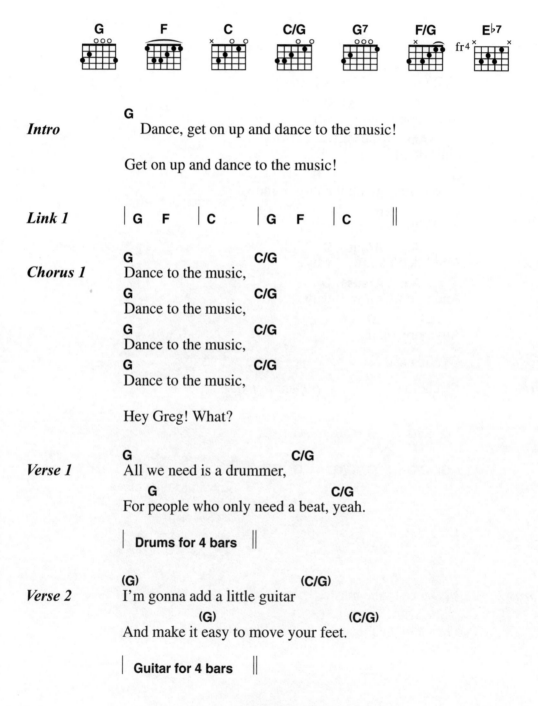

Intro

G

    Dance, get on up and dance to the music!

Get on up and dance to the music!

Link 1 | G   F | C | G   F | C ||

Chorus 1

G   C/G
Dance to the music,
G   C/G
Dance to the music,
G   C/G
Dance to the music,
G   C/G
Dance to the music,

Hey Greg! What?

Verse 1

G   C/G
All we need is a drummer,
    G   C/G
For people who only need a beat, yeah.

| Drums for 4 bars ||

Verse 2

(G)   (C/G)
I'm gonna add a little guitar
        (G)   (C/G)
And make it easy to move your feet.

| Guitar for 4 bars ||

Verse 3

(G)
I'm gonna add some bottom

So that the dancers just won't hide.

| G7 | G7 | G7 | G7 ‖

Verse 4

(G)
You might like to hear my organ,

I said "Ride, Sally, ride".

| F/G | F/G C/G G7 | G7 | C/G ‖
Cynthia! What? Jerry! What?

Verse 5

G   C/G
If I could hear the horns blowin'
G   C/G
Cynthia on the throne, yeah!

| E♭7 | E♭7 | E♭7 | E♭7 ‖
Listen to me!

Verse 6

G   C/G
Cynthia and Jerry got a message they're sayin'
G   C/G
All the squares, go home!

| G C/G | G C/G | G C/G | G C/G |

| G C/G | G C/G | G C/G | G   C/G ‖
Listen to the voices!

Link 2

‖: G   F | C | G   F | C :‖

Chorus 2

G   C/G   G   C/G
‖: Dance to the music,
G   C/G   G   C/G
Dance to the music.   :‖ *Repeat to fade*

41

Dedicated Follower Of Fashion

Words & Music by Ray Davies

C   Csus4   G7   F   E   A7   Dm

Intro | C Csus4 | C Csus4 | C ||

Verse 1

                 G7   **C**
They seek him here, they seek him there,

             G7   **C**
His clothes are loud, but never square.

F   **C**   **E**   **A7**
It will make or break him so he's got to buy the best,

     Dm   **G**   **C**
'Cause he's a dedicated follower of fashion.

Verse 2

               G7   **C**
And when he does his little rounds,

             G7   **C**
'Round the boutiques of London Town,

F   **C**   **E**   **A7**
Eagerly pursuing all the latest fads and trends,

     Dm   **G**   **C**
'Cause he's a dedicated follower of fashion.

Chorus 1

       G⁷   C
Oh yes he is (oh yes he is), oh yes he is (oh yes he is).

    F   C
He thinks he is a flower to be looked at,

     F   C   E   A⁷
And when he pulls his frilly nylon panties right up tight,

        Dm   G   C
He feels a dedicated follower of fashion.

       G⁷   C
Oh yes he is (oh yes he is), oh yes he is (oh yes he is).

      F   C
There's one thing that he loves and that is flattery.

F   C   E   A⁷
One week he's in polka-dots, the next week he is in stripes.

          Dm   G   C
'Cause he's a dedicated follower of fashion.

Verse 3

        G⁷   C
They seek him here, they seek him there,

       G⁷   C
In Regent Street and Leicester Square.

F   C   E   A⁷
Everywhere the Carnabetian army marches on,

        Dm   G   C
Each one a   dedicated follower of fashion.

Chorus 2

        G7   C

Oh yes he is (oh yes he is), oh yes he is (oh yes he is).

       F   C

His world is built 'round discotéques and parties.

       F   C   E   A7

This pleasure-seeking individual always looks his best

           Dm   G   C

'Cause he's a dedicated follower of fashion.

        G7   C

Oh yes he is (oh yes he is), oh yes he is (oh yes he is).

      F   C

He flits from shop to shop just like a butterfly.

      F   C   E   A7

In matters of the cloth he is as fickle as can be,

          Dm   G   C   A7

'Cause he's a dedicated   follower of fashion.

Outro

         Dm   G   C   A7

He's a dedicated follower of fashion.

         Dm   G   C   Csus4 C

He's a dedicated follower of fashion.

Distant Sun

Words & Music by Neil Finn

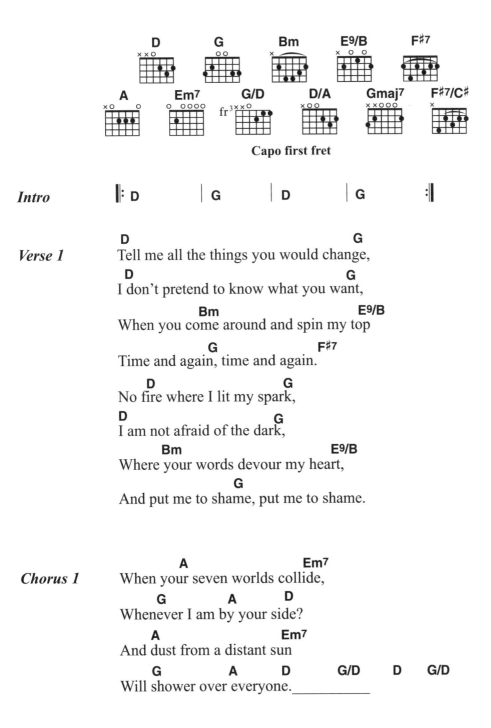

Capo first fret

Intro ‖: D | G | D | G :‖

Verse 1
D   G
Tell me all the things you would change,
D   G
I don't pretend to know what you want,
             Bm   E9/B
When you come around and spin my top
                G   F♯7
Time and again, time and again.
        D   G
No fire where I lit my spark,
D   G
I am not afraid of the dark,
        Bm   E9/B
Where your words devour my heart,
                  G
And put me to shame, put me to shame.

Chorus 1
                A   Em7
When your seven worlds collide,
      G   A   D
Whenever I am by your side?
        A   Em7
And dust from a distant sun
      G   A   D   G/D   D   G/D
Will shower over everyone._____

Verse 2

       D   G
You're still so young to travel so far,

    D   G
Old enough to know who you are,

    Bm   E9/B
Wise enough to carry the scars

                  G   F#7
Without any blame, there's no-one to blame.

     D   G
It's easy to forget what you learned,

    D   G
Waiting for the thrill to return,

    Bm   E9/B
Feeling your desire to burn,

                    G
You're drawn to the flame._____

         A   Em7
Chorus 2 When your seven worlds collide,

      G   A   D
Whenever I am by your side,?

       A   Em7
And dust from a distant sun

      G   A   D
Will shower over everyone._____

    A   Em7
Dust from a distant sun

      G   A
Will shower over everyone.

            Bm   D/A   Gmaj7   A
Middle And I'm lying on the table, washed out, in the flood

    Bm   D/A   Gmaj7   A
  Like a Christian fearing vengeance from above,

    Bm   D/A   Gmaj7   A   Em7
I don't pretend to know what you want, but I offer love._____

Instrumental | G A | D | A | Em7 | G A | D |

Chorus 3

A   Em⁷
Seven worlds will collide____

  G A   D
Whenever I am by your side,

A   Em⁷
Dust from a distant sun____

  G   A D   F♯7   Gmaj⁷
Will shower over everyone._____

Coda

       Bm F♯7/C♯ Gmaj⁷
‖: As time slips by_____

      D F♯7   Gmaj⁷
And on and on._____   :‖ *Repeat to fade*

Down Down

Words & Music by Robert Young & Francis Rossi

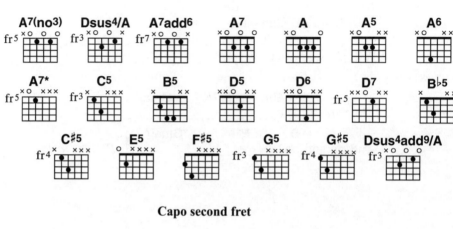

Capo second fret

Intro ‖: A7(no3) Dsus4/A │ A7add6 A7(no3) │ A7(no3) Dsus4/A │ A7add6 A7(no3) :‖

‖: A7(no3) Dsus4/A A7 │ Dsus4/A A7(no3) :‖ *Play 3 times*
(Play fills)
│ A   │ A   │ A   │ A   ‖

┌───**A Riff**───┐
‖: A5 A6 A7* A6 :‖ *Play 7 times* │ A5 A6 A5 C5 B5 ‖

‖:   A Riff   :‖ *Play 3 times* │ A5 A6 A5 C5 B5 │   │

Chorus 1
A Riff   C5 B5
Get down deeper and down

A Riff   C5 B5
Down, down deeper and down

A Riff   C5 B5
Down, down deeper and down

A Riff
Get down deeper and down.

┌───**D Riff**───┐
D5 D6 D7 D6   C5
Verse 1
I want all the world to see

A Riff   B♭5 B5 C5 C#5
To see you're laughing, and you're laughing at me

D Riff
I can take it all from you

cont.

E5
Again, again, again, again,
E5   **F♯5**   **G5**   **G♯5**   **A5**
Again, again, again, and deeper and down.

Chorus 2   As Chorus 1

Instrumental.   ‖: **A7(no3) Dsus4/A** | **A7add6   A7(no3)** | **A7(no3) Dsus4/A** | **A7add6 A7(no3)** :‖

D Riff   **C5**
Verse 2   I have all the ways you see
                  A Riff   **B♭5 B5 C5 C♯5**
                      To keep you guessing, stop your messing with me
                  D Riff
                  You'll be back to find your way
                  E5
                  Again, again, again, again,
                  E5   **F♯5**   **G5**   **G♯5**   **A5**
                  Again, again, again, and deeper and down

                  A Riff   **C5 B5**
Chorus 3   Get down, deeper and down
                  A Riff   **C5 B5**
                      Down, down, deeper and down
                  A Riff   **C5 B5**
                      Down, down, deeper and down
                      A5
                  $\frac{7}{4}$ Get down.

Link $\frac{6}{4}$ **Dsus4add9/A** $\frac{4}{4}$| **A7** | **A7** $\frac{6}{4}$| **Dsus4add9/A** $\frac{4}{4}$| **A7** | **A7** |

                  ‖:   **A Riff**   :‖ *Play 7 times* | **A5 A6 (N.C.) C5 B5** ‖

Chorus 4　　　As Chorus 1

Verse 3
D Riff　　　　　　　　　　　　　　　**C5**
I have found you out you see
A Riff　　　　　　　　　　　　　　　　　　　**B♭5**　**B5**　**C5**　**C♯5**
　I know what you're doing, what you're doing to me
D Riff
I'll keep on and say to you
E5
Again, again, again, again
E5　　**F♯5**　**G5**　　　　**G♯5**　　　**A5**
Again, again, again, and deeper and down

Chorus 5　　　As Chorus 3　　　　**A7** **A13*** **A7** **A7**　$\frac{6}{4}$| **Dadd9/A**　|

Outro　　　$\frac{6}{4}$| **Dsus4add9/A** $\frac{4}{4}$| **A**　　| **A**　:‖

　　　　　　$\frac{4}{4}$| **A**　　| **A**　　| **A**　| **A**　　‖

　　　　　　‖: **A Riff** | **D Riff** | **A Riff** | **A Riff** :‖ *Repeat to fade*

Dream On

Words & Music by Steven Tyler

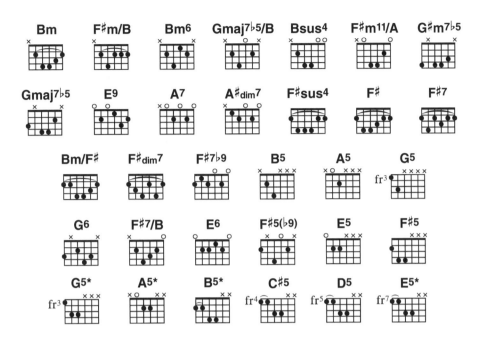

Capo sixth fret

Intro | Bm   F#m/B | Bm6   Gmaj7♭5/B | Bm   Bsus4 | Bm |

| Bm   F#m11/A | G#m7♭5   Gmaj7♭5 | Bm   Bsus4 | Bm |

| E9 | A7   A#dim7 | Bm | Bm |

Verse 1

Bm   F#m/B   Bm6   Gmaj7♭5/B
   Every time that I look in the mirror

Bm   F#m/B   Bm6   Gmaj7♭5/B
   All these lines on my face gettin' clearer

Bm   F#m/B   Bm6   Gmaj7♭5/B
     The past is gone

Bm   F#m/B Bm6   Gmaj7♭5/B
It went by like   dust to dawn

G#m7♭5   F#sus4 F#
   Isn't that the way

G#m7♭5   Gmaj7♭5   F#7   Bm/F#   F#dim7   F#7♭9
Everybody's got their dues in life to pay.

Chorus 1

B5   **A5**
I know what nobody knows

G5   **A5**
Where it comes and where it goes

B5   **A5**
I know it's everybody's sin

G5   **A5**
You got to lose to know how to

Bm   **F♯m/B** |**Bm6**   **Gmaj7♭5/B** | **Bm**   **Bsus4** |**Bm** |
win.

Verse 2

Bm   **F♯m/B** **Bm6**   **Gmaj7♭5/B**
Half my life's in books' written pages

Bm   **F♯m/B**   **Bm6**   **Gmaj7♭5/B**
Live and learn from fools and from sages

Bm **F♯m/B**   **Bm6**   **Gmaj7♭5/B**
You know it's true

Bm   **F♯m/B** **Bm6**   **Gmaj7♭5/B**
All the things   come back to you.

Chorus 2

B5   **A5**
Sing with me, sing for the year

G5   **A5**
Sing for the laughter, sing for the tear

B5   **A5**
Sing with me, if it's just for today

G♯m7♭5   **G6**   **F♯7♭9**
Mabye tomorrow the good Lord will take you away.

Instrumental | Bm   F♯7/B | F♯m/B   E6 | A7   A♯dim7 |

| Bm   Bsus4 Bm | Bm   F♯7/B | F♯m/B   E6 |

| A7   A♯dim7 |

Chorus 3

B5   A5
   Sing with me, sing for the year

G5   A5
Sing for the laughter, sing for the tear

B5   A5
   Sing with me, if it's just for today

G♯m7♭5   G6   F♯5(♭9)
Mabye tomorrow the good Lord will take you away.

Bridge

E5   F♯5   G5*
   Dream on,   dream on,   dream on,

A5*   B5*
Dream yourself a dream come true

E5   F♯5   G5*
Dream on,   dream on,   dream on,

A5*   B5*
Dream until your dream comes true

E5   F♯5   G5*   A5*
   Dream on,   dream on,   dream on,   dream on,

B5*   C♯5   D5   E5*   F♯5(♭9)
   Dream on,   dream on,   dream on,   dream on, oh.

Chorus 4

B5   A5
   Sing with me, sing for the year

G5   A5
Sing for the laughter sing for the tear

B5   A5
   Sing with me, if it's just for today

G5   A5
Mabye tomorrow the good Lord will take you away.

B5   A5
   Sing with me, sing for the year

G5   A5
Sing for the laughter, sing for the tear

B5   A5
   Sing with me, if it's just for today

G♯m7♭5   G6   F♯5(♭9)
Mabye tomorrow the good Lord will take you away.   *to fade*

The Drowners

Words & Music by Brett Anderson & Bernard Butler

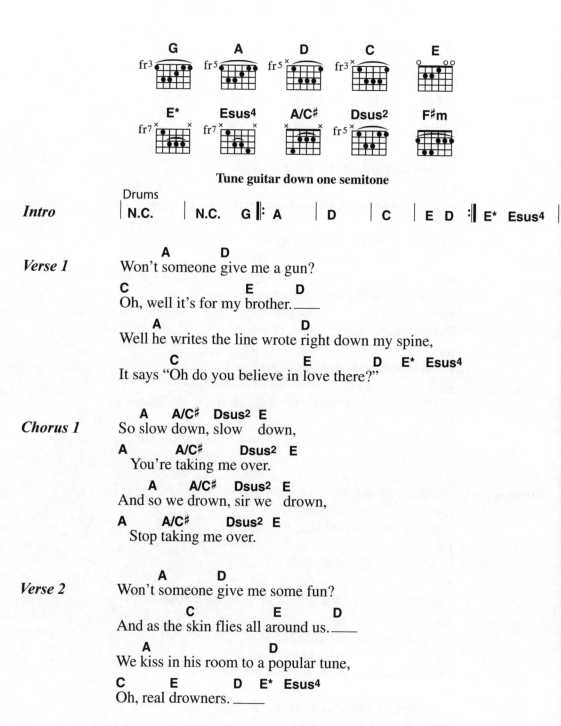

Tune guitar down one semitone

Intro

Drums
| N.C. | N.C. G ‖: A | D | C | E D :‖ E* Esus4 |

Verse 1

      A   **D**
Won't someone give me a gun?
C   **E**   **D**
Oh, well it's for my brother. ____
      A   **D**
Well he writes the line wrote right down my spine,
          C   **E**   **D** E* Esus4
It says "Oh do you believe in love there?"

Chorus 1

      A **A/C#** **Dsus2** E
So slow down, slow   down,
A   **A/C#**   **Dsus2** E
  You're taking me over.
      A **A/C#** **Dsus2** E
And so we drown, sir we drown,
A   **A/C#**   **Dsus2** E
  Stop taking me over.

Verse 2

      A   **D**
Won't someone give me some fun?
           C   **E**   **D**
And as the skin flies all around us. ____
      A   **D**
We kiss in his room to a popular tune,
C   **E**   **D** E* Esus4
Oh, real drowners. ____

Chorus 2

       A   **A/C♯** **Dsus²** **E**
So slow down, slow   down,

      A   **A/C♯**   **Dsus²** **E**
  You're taking me over.

         A   **A/C♯** **Dsus²** **E**
And so we drown, sir we drown,

      A   **A/C♯**   **Dsus²** **E**
  Stop taking me over.

Instrumental | **F♯m** | **G** | **Esus⁴ E*** | **A G** | **F♯m E** | **E** ‖

Chorus 3

      A   **A/C♯** **Dsus²** **E**
Slow down, slow   down,

      A   **A/C♯**   **Dsus²** **E**
  You're taking me over.

         A   **A/C♯** **Dsus²** **E**
And so we drown, sir we drown,

      A   **A/C♯**   **Dsus²** **E** **A**
  Stop taking me over,   oh. —

 ‖: **(A)**   **A/C♯**   **Dsus²** **E** **A**
 ‖: You're taking me over,   oh. — :‖   *Repeat to fade*

Eight Miles High

Words & Music by Gene Clark, Jim McGuinn & David Crosby

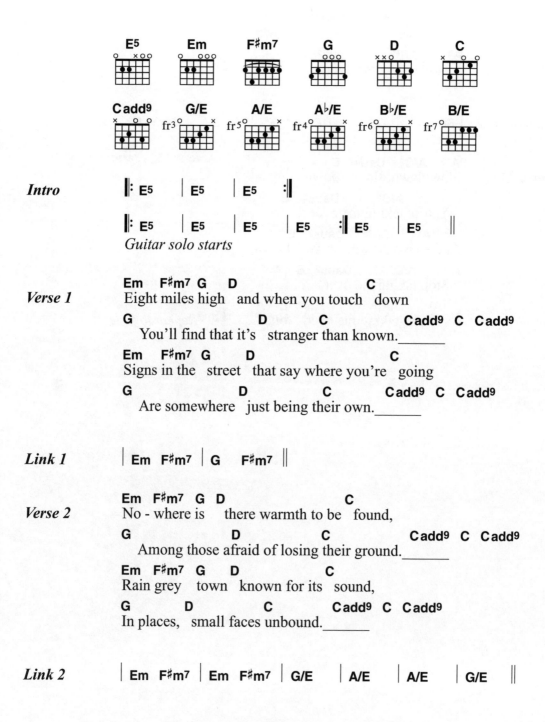

Intro

‖: E5 | E5 | E5 :‖

‖: E5 | E5 | E5 | E5 :‖ E5 | E5 ‖

Guitar solo starts

Verse 1

Em F#m7 G   D   C
Eight miles high and when you touch down
G   D   C   Cadd9 C Cadd9
  You'll find that it's stranger than known._____
Em F#m7 G   D   C
Signs in the street that say where you're going
G   D   C   Cadd9 C Cadd9
  Are somewhere just being their own._____

Link 1

| Em F#m7 | G   F#m7 ‖

Verse 2

Em F#m7 G D   C
No - where is   there warmth to be found,
G   D   C   Cadd9 C Cadd9
  Among those afraid of losing their ground._____
Em F#m7 G   D   C
Rain grey town known for its sound,
G   D   C   Cadd9 C Cadd9
In places, small faces unbound._____

Link 2

| Em F#m7 | Em F#m7 | G/E | A/E | A/E | G/E   ‖

Solo ‖: G/E │ A/E │ G/E │ A/E :‖ *Play 4 times*

│ G/E │ A/E │ A/E │ A/E ‖

Verse 3

Em   F♯m⁷ G   D   C
Round the   squares, huddled in   storms,

G   D   C   Cadd⁹ C Cadd⁹
   Some laughing,   some just shapeless forms._____

Em   F♯m⁷ G   D   C
Side - walk   scenes   and black limousines,

G   D   C   Cadd⁹ C Cadd⁹
   Some living,   some standing alone._____

Coda │ Em F♯m⁷ │ Em F♯m⁷ │ G/E │ A/E ‖

Solo ‖: G/E │ A/E │ G/E │ A/E :‖ *Play 3 times*

│ G/E │ A♭/E A/E Bm/E│ Bm/E │ Bm/E ‖

Ever Fallen In Love (With Someone You Shouldn't've)

Words & Music by Pete Shelley

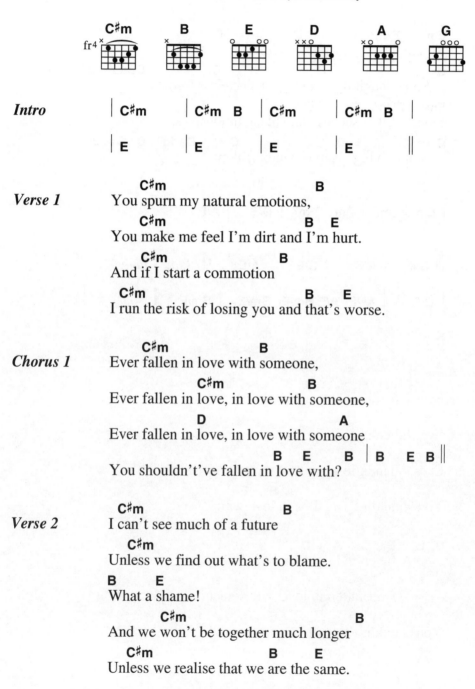

Intro
| C#m | C#m B | C#m | C#m B |
| E | E | E | E |

Verse 1

    C#m   B
You spurn my natural emotions,
    C#m   B E
You make me feel I'm dirt and I'm hurt.
    C#m   B
And if I start a commotion
    C#m   B E
I run the risk of losing you and that's worse.

Chorus 1

    C#m   B
Ever fallen in love with someone,
         C#m   B
Ever fallen in love, in love with someone,
         D   A
Ever fallen in love, in love with someone
                   B E   B | B E B‖
You shouldn't've fallen in love with?

Verse 2

    C#m   B
I can't see much of a future
    C#m
Unless we find out what's to blame.
B   E
What a shame!
      C#m   B
And we won't be together much longer
    C#m   B   E
Unless we realise that we are the same.

Chorus 2   As Chorus 1

Verse 3

             C♯m   B
You spurn my natural emotions,
             C♯m   B   E
You make me feel I'm dirt and I'm hurt.
              C♯m   B
And if I start a commotion
               C♯m   B   E
I'll only end up losing you, and that's worse.

Chorus 3

               C♯m   B
‖: Ever fallen in love with someone,
                   C♯m   B
Ever fallen in love, in love with someone,
                   D   A
Ever fallen in love, in love with someone
                           B   E   B
You shouldn't've fallen in love with?

      | B   E B :‖

Link   ‖: E | E | E | E   :‖ *Play 3 times*

Chorus 4

             C♯m   B
Ever fallen in love with someone,
                C♯m   B
Ever fallen in love, in love with someone,
               D   A
Ever fallen in love, in love with someone
                       B   E   B
You shouldn't've fallen in love with?

Coda

B E B   A   D
      A-fallen in love with,
A D A   G   B
      Ever fallen in love with someone
                     E
You shouldn't've fallen in love with?

Everything I Own

Words & Music by David Gates

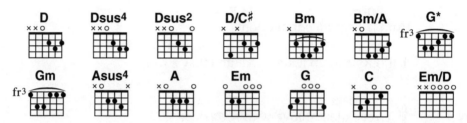

Capo seventh fret
Tune guitar slightly sharp

Intro | D Dsus⁴ D Dsus² D | D Dsus⁴ D Dsus² D ‖

Verse 1

    D   D/C♯   Bm Bm/A
You sheltered me from harm,

        G* Gm   D   Asus⁴ A
Kept me warm,   kept me wa - rm.

D   D/C♯   Bm Bm/A
You gave my life to me,

      G* Gm   D Asus⁴ A
Set me free,   set me free._____

Link 1

    Em   G   A Asus⁴ A
The finest years I ever knew,

    Em   G   A
Were all the years I had with you.

Chorus 1

         G   D Em   A
And I would give any - thing I own,

G   D   Em   A
Give up my life, my heart, my home.

G   D   Em   A
I would give every - thing I own

        G   D   Dsus⁴ D Dsus² D
Just to have you back a - gain.

Verse 2

    D   D/C♯   Bm   Bm/A
You taught me how to laugh

            G* Gm   D   Asus4 A
What a time,   what a time.

    D   D/C♯
You never said too much

      Bm
But still you showed the way

         C   G   D Dsus4 D Dsus2 D
And I knew   from watching you.

Link 2

    Em   G   A Asus4 A
    Nobody else could never know

    Em   G   A
    The part of me that can't let go.

Chorus 2

    G   D   Em   A
And I would give any - thing I own,

    G   D   Em   A
Give up my life, my heart, my home.

    G   D   Em   A
I would give every - thing I own

         G   D
Just to have you back a - gain.

Bridge

         Bm
Is there someone you know

         Bm/A
You're loving them so,

     G
But taking them all for granted?

        Em
You may lose them one day,

        Em/D
Someone takes them away,

       C   A
And they don't hear the words you long to say...

Chorus 3   As Chorus 2

Outro

         G   D
Just to touch you once again.

Fairytale Of New York

Words & Music by Shane MacGowan & Jem Finer

Intro

| F   C F | G   C   G ||

Verse 1

                   C   F
It was Christmas Eve, babe, in the drunk tank,
         C   Gsus4   G
An old man said to me "I won't see another one,"
           C   F
And then he sang a song, the rare old mountain dew,
          C   G   C   G
I turned my face away and dreamed about you.

Verse 2

            C   F
Got on a lucky one, came in eighteen to one,
         C   Gsus4   G
I've got a feeling this year's for me and you.
        C   F
So Happy Christmas, I love you baby,
        C   Gsus4   C
I can see a better time when all our dreams come true.

Instrumental

| F   C F | Gsus4 | C   G | C F G C ||

Verse 3

        C   G   Am   F
They've got cars big as bars, they've got rivers of gold
        C   G
But the wind goes right through you, it's no place for the old.
        C   Am   C   F
When you first took my hand on a cold Christmas Eve
        C   G   C
You promised me Broadway was waiting for me.

Verse 4

           C   G
You were handsome, you were pretty, queen of New York City.
           C   F   G   C
When the band finished playing, they howled out for more.
        C   G
Sinatra was swinging, all the drunks they were singing,
         C   F   G   C
We kissed on a corner then danced through the night.

Chorus 1

           F   Am G   C   Am
And the boys from the NYPD   choir were singin' 'Galway Bay'
         C   F   G   C
And the bells were ringin' out for Christmas Day.

Link 1   ‖ C G Am F ‖ C   G ‖ C Am C F ‖ C   G C ‖

Verse 5

        C   G
You're a bum, you're a punk, you're an old slut on a junk
          C   F   G   C
Lying there almost dead on a drip in that bed.
        C   G
You scumbag, you maggot, you cheap lousy faggot,
         C   F   G   C
Happy Christmas your arse, I pray God it's our last.

Chorus 2   As Chorus 1

Link 2   ‖ C   ‖ F   ‖ C   F ‖ G C G   ‖

Verse 6

        C   F
I could have been someone, well so could anyone.
          C   Gsus4   G
You took my dreams from me when I first found you.
          C   F
I kept them with me, babe, I put them with my own,
             C   F   G   C
I can't make it   all alone, I've built my dreams around you.

Chorus 3   As Chorus 1

Ghost Town

Words & Music by Jerry Dammers

C   G   A♭   A♭/B♭   B♭   E   A

Intro

| C | G | C | G |

| C | G | C | G |

| C | G | C | G ‖

Verse 1

C   G
Come on let's go down,
C
Everybody's waiting for us
G   C | G | C | G ‖
Down at the ghost town.
C
Bill Bailey said
G
He'd be around if
C   G
Mr. G. Robinson would just put
        C | G | C | G ‖
That bad Havana down.

Chorus 1

B♭   A♭/B♭   B♭
Lovely Queen Anne Boleyn
(B♭)
Learning new tricks from
    A♭
The Great Houdini,
B♭   A♭
Wo wo——
      B♭
Now that's the way
       C   G
She's gonna make it——wo wo

Instr. | C | G | C | G |

| C | G | C | G |

C   G   C   G
Come on,

        C   G
Verse 2   Come on let's go down
        C
Everybody's waiting for us
G   C | G | C | G ‖
Down at the Boom Town.
C   G
O. Redding and Washington,
G   G
Chico and Harpo and Karl
                    C | G | C | G ‖
Are in the kitchen with mum.

        B♭   A♭/B♭ B♭
Chorus 2   Buster Keaton and King Tut
        (B♭)
Are waiting for Disney
          A♭   B♭   A♭
To wake up—wo wo
        (B♭)
Now that's the way—
                     C
No that ain't the way he's gonna
               G
Make it.

Instr. | C | G | C | G |

| C | G | C | G |

| C | G | C | G   ‖

Outro   ‖: E D | C D | E D | C | C   :‖ *Play 3 times*

| E   ‖

65

Girls And Boys

Words & Music by Damon Albarn, Graham Coxon, Alex James & David Rowntree

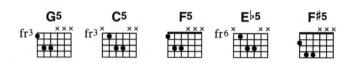

Verse 1

G5
Streets like a jungle,

   C5
So call the police.

F5
Following the herd

      E♭5   **F♯5** **F5**
Down to Greece on holiday.

G5
Love in the nineties

C5
Is paranoid.

F5
On sunny beaches

      E♭5
Take your chances.

Chorus 1

F♯5   **F5**   **G5**
Looking for ‖: girls who are boys

Who like boys to be girls

       C5
Who do boys like they're girls

Who do girls like they're boys.

F5
Always should be someone

      E♭5   **F♯5** **F5**
You really love.   :‖

Instrumental   Chords as Chorus

Verse 2

    G5
Avoiding all work

      C5
'Cause there's none available.

    F5
Like battery thinkers

     E♭5   **F♯5 F5**
Count their thoughts on 1, 2, 3, 4, 5   fingers.

G5
Nothing is wasted,

C5
Only reproduced,

   F5
You get nasty blisters.

     E♭5
Du bist sehr schön

       F♯5 F
But we haven't been introduced.

Chorus 2

   G5
‖: Girls who are boys who like boys

     C5
To be girls who do boys

Like they're girls who do girls

Like they're boys.

F5
Always should be someone

   E♭5 **F♯5 F5**
You really love.   :‖

Instrumental   Chords as Chorus 2

Chorus 3   As Chorus 2

     Repeat to fade

Free Bird

Words & Music by Allen Collins & Ronnie Van Zant

G   D/F#   Em   F

C   Dsus4   D   Dsus2   B♭

Intro

| G | D/F# | Em | Em |

| F | C | Dsus4 D | Dsus2 D |

‖: G | D/F# | Em | Em | F |

| C | Dsus4 D Dsus2 D | Dsus4 D Dsus2 D :‖   *Play 3 times*

Verse 1

G   D/ F#   Em
If I leave here tomorrow

F   C   Dsus4 D Dsus2 D
Would you still remember me?_____

| Dsus4 D Dsus2 D |

G   D/F#   Em
For I must be travelling on now

F   C   Dsus4 D Dsus2 D
'Cos there's too many places I've got to see._____

| Dsus4 D Dsus2 D |

G   D/F#   Em
And if I stay here with you girl,

F   C   Dsus4 D Dsus2 D
Things just couldn't be the same._____

| Dsus4 D Dsus2 D |

G   D/F#   Em
'Cos I'm as free as a bird now,

F   C   Dsus4 D Dsus2 D
And this bird you cannot change, _____

Dsus4 D Dsus2 D
Oh._____

Chorus 1

       F   C   D
Oh, and a bird you cannot change.

       F   C   D
And this bird you cannot change.

       F   C   D
The Lord knows I can't change.

Instrumental   ‖: G | D/F♯ | Em | Em |

         | F | C | Dsus4 D Dsus2 D | Dsus4 D Dsus2 D :‖

Verse 2

G   D/F♯   Em
  Bye bye baby, it's been sweet love, yeah, yeah,

F   C   Dsus4 D Dsus2 D
  Though this feeling I can't change._____

  | Dsus4 D Dsus2 D |

G   D/F♯   Em
  Please don't take this so badly,

F   C   Dsus4 D Dsus2 D
  'Cos the Lord knows I'm to blame._____

  | Dsus4 D Dsus2 D |

G   D/F♯   Em
  And if I stay here with you girl,

F   C   Dsus4 D Dsus2 D
  Things just couldn't be the same._____

  | Dsus4 D Dsus2 D |

G   D/F♯   Em
  'Cos I'm as free as a bird now

F   C   Dsus4 D Dsus2 D
  And this bird you cannot change,_____

Dsus4 D Dsus2 D
Oh._____

	F C D
Chorus 2	Oh, and a bird you cannot change.
	F C D
	And this bird you cannot change.
	F C D
	The Lord knows I can't change.
	F C D
	Lord, help me, I can't change.

	G B♭ C
Middle	Lord, I can't change.
	G B♭ C
	Won't you fly_____ freebird, yeah.

Guitar Solo ‖: G | B♭ | C | C :‖ *Repeat to fade*

70

Get Up, Stand Up

Words & Music by Bob Marley & Peter Tosh

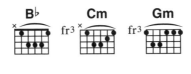

Intro | B♭ Cm | B♭ ‖

Chorus 1

Cm
Get up, stand up: stand up for your rights!

Get up, stand up: stand up for your rights!

Get up, stand up: stand up for your rights!

Get up, stand up: don't give up the fight.

Verse 1

Cm
Preacherman, don't tell me,

Heaven is under the earth.

I know you don't know

What life is really worth.

It's not all that glitters is gold;

'Alf the story has never been told:

So now you see the light, eh!

Stand up for your rights. Come on!

Chorus 2

Cm   **Gm B♭**
‖: Get up, stand up: stand up for your rights!
Cm   **B♭**
Get up, stand up: don't give up the fight! :‖

Verse 2
Cm
Most people think,

Great God will come from the skies,

Take away everything

And make everybody feel high.

But if you know what life is worth,

You will look for yours on earth:

And now you see the light,

You stand up for your rights. Jah!

Chorus 3
Cm
Get up, stand up! (Jah, Jah!)
                      Gm **B♭**
Stand up for your rights! (Oh-hoo!)
Cm
Get up, stand up! (Get up, stand up!)
              B♭
Don't give up the fight! (Life is your right!)
Cm
Get up, stand up! (So we can't give up the fight!)
            Gm   **B♭**
Stand up for your rights!   (Lord, Lord!)
Cm
Get up, stand up! (Keep on struggling on!)
                 B♭
Don't give up the fight! (Yeah!)

Verse 3
Cm
We sick an' tired of-a your ism-skism game,

Dyin' 'n' goin' to heaven in-a Jesus' name, Lord.

We know when we understand:

Almighty God is a living man.

You can fool some people sometimes,

But you can't fool all the people all the time.

cont.

Cm
So now we see the light, (What you gonna do?)

We gonna stand up for our rights! (Yeah, yeah, yeah!)

So you better:

Coda

Cm
Get up, stand up! (In the morning! Git it up!)
                                 Gm   B♭
Stand up for your rights! (Stand up for our rights!)
Cm
Get up, stand up!

                                B♭
Don't give up the fight! (Don't give it up, don't give it up!)
Cm
Get up, stand up! (Get up, stand up!)
                                 Gm   B♭
Stand up for your rights! (Get up,   stand up!)
Cm
Get up, stand up!

                            B♭
Don't give up the fight! (Get up, stand up!)
  Cm
‖: Get up, stand up!

Stand up for your rights! :‖ *Repeat to fade*

Going Underground

Words & Music by Paul Weller

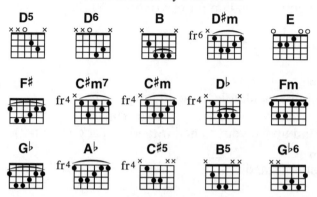

Intro | D5 | D5 D6 | D5 | D5 D6 |

Verse 1

D5   D6
Some people might say my life is in a rut,

D5   D6
   I'm quite happy with what I've got.

D5   D6
   People might say that I should strive for more,

D5   D6   B
But I'm so happy, I can't see the point.

Pre-chorus 1

                        D#m
Something's happening here today,

  B   D#m
A show of strength with your boys' brigade,

    B   D#m
And I'm so happy and you're so kind.

    B   D#m
You want more money, of course I don't mind,

       E   F#
To buy nuclear text-books for atomic crimes,

      B   D#m
And the public gets what the public wants,

     E   F#
But I want nothing this society's got.

Chorus 1

            B   **D♯m**
I'm going underground, (going underground,)
         E   **F♯**
Well lct the brass band play and feet start to pound.
        B   **D♯m**
Going underground, (going underground,)
          E
Well let the boys all sing
       F♯   **B**
And let the boys all shout for tomorrow.

 | **D♯m**   **E** | **E** | **F♯**   ‖

Verse 2

D5   **D6**
Some people might get some pleasure out of hate,
D5   **D6**
Me, I've enough already on my plate.
D5   **D6**
  People might need some tension to relax,
D5   **D6**   **B**
Me, I'm too busy dodging between the flak.

Pre-chorus 2

B   **D♯m**
What you see is what you get,
       B   **D♯m**
You made your bed, you better lie in it.
       B   **D♯m**
You choose your leaders and place your trust,
        B   **D♯m**
Their lies wash you down and their promises rust.
          E   **F♯**
You'll see kidney machines replaced by rockets and guns,
        B   **D♯m**
And the public wants what the public gets,
       E   **F♯**
But I don't care what this society wants.

Chorus 2

            B   **D♯m**
I'm going underground, (going underground,)
         E   **F♯**
Well let the brass band play and feet start to pound.
        B   **D♯m**
Going underground, (going underground,)
          E
Well let the boys all sing
       F♯   **C♯m7**
And let the boys all shout for tomorrow.

Middle

      B   C#m7   B
(Ho!) La, la la la, ho! La, ___ la la la.

   C#m   B
We talk and we talk until my head explodes,

  C#m   B
I turn on the news and my body froze.

      D#m   E
There's braying sheep on my TV screen

     F#
Make this boy shout, make this boy scream.

     Db   Fm | Gb |
Going underground,

Ab   Db   Fm | Gb |
  Going underground. _____

Ab   (B)   (D#m) | (E) |
  I'm going underground,

(F#)   (B)   (D#m) | (E) | (F#) | (C#5) |
  I'm going underground. _____

   B5   C#5
‖: La, _ la la la,   :‖ *Play 3 times*

   B5
La, _ la la la.

   D#m   E
The braying sheep on my TV screen

     F#
Make this boy shout, make this boy scream.

Chorus 3

    Db   Fm
Going underground, (going underground,)

      Gb   Ab
Well let the brass band play and feet start to pound.

    Db   Fm
Going underground, (going underground,)

      Gb
Well let the boys all sing

      Ab
And let the boys all shout.

Chorus 4

    Db   Fm
Going underground, (going underground,)

      Gb   Ab
Well let the brass band play and feet go pow, pow, pow.

    Db   Fm
Going underground, (going underground,)

      Gb
So let the boys all sing

      Ab   Gb6
And let the boys all shout for tomorrow, oh.

Goldfinger

Words & Music by Tim Wheeler

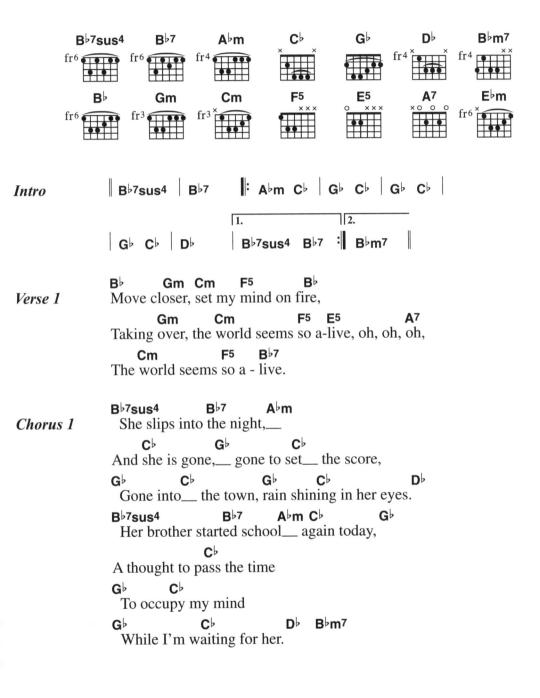

Intro ‖ Bb7sus4 | Bb7 ‖: Abm Cb | Gb Cb | Gb Cb |

1. | Gb Cb | Db | 2. | Bb7sus4 Bb7 :‖ Bbm7 ‖

Verse 1

  Bb   Gm Cm   F5   Bb
Move closer, set my mind on fire,

         Gm   Cm   F5 E5   A7
Taking over, the world seems so a-live, oh, oh, oh,

     Cm   F5   Bb7
The world seems so a - live.

Chorus 1

 Bb7sus4   Bb7   Abm
  She slips into the night,___

       Cb   Gb   Cb
And she is gone,___ gone to set__ the score,

Gb   Cb   Gb   Cb   Db
  Gone into__ the town, rain shining in her eyes.

Bb7sus4   Bb7   Abm Cb   Gb
  Her brother started school__ again today,

             Cb
A thought to pass the time

Gb   Cb
  To occupy my mind

Gb   Cb   Db Bbm7
  While I'm waiting for her.

Verse 2

Bb   Gm   Cm   F5   Bb
Down in the basement, listening to the rain,

                     Gm   Cm   F5   E5   A7
Thinking things over, I think it over a - gain, oh, oh, oh,

Cm   F5   Bb7
Think it over a - gain.

Chorus 2

Bb7sus4   Bb7   Abm
 She slipped into the night,

     Cb   Gb   Cb
And she was gone,__ gone to set__ the score,

Gb   Cb   Gb   Cb   Db
 Gone into__ the town, rain shining in her eyes.

Bb7sus4   Bb7   Abm Cb   Gb
 Her brother started school__ again today,

           Cb
 A thought to pass the time

Gb   Cb
To occupy my mind

Gb   Cb   Db Bbm7
 While I'm waiting for her.

Solo

‖: Bb Ebm | Ebm | Bb Ebm | Ebm   :‖

Verse 3

Bb   Gm   Cm   F5   Bb
I'm writing it__ down, listen to the rain,

                    Gm   Cm   F5   E5   A7
'Cause you will be here__ soon, I lie back and drift a - way oh, oh, oh,

Cm   F5   Bb7
I lie back and drift a - way.

Chorus 3

B♭7sus4   B♭7   A♭m
  She slipped into the night,

      C♭   G♭   C♭
And she was gone,__ gone to set__ the score,

G♭   C♭   G♭   C♭   D♭
  Gone into__ the town, rain shining in her eyes.

B♭7sus4   B♭7   A♭m C♭   G♭
  Her brother started school__ again today.

G♭   C♭
  A thought to pass the time,

G♭   C♭
  To occupy my mind,

G♭   C♭   D♭
  While I'm wait-ing for her.

Chorus 4

B♭7sus4   B♭7 A♭m
  I'm feeling so a - live,

C♭   G♭   C♭
Feeling so real__ on a stormy night,

G♭   C♭
  The rain is coming down,

G♭   C♭   D♭
  Rain like never before.

B♭7sus4   B♭7   A♭m
  I've got some records on,

         C♭   G♭   C♭
And some bottles of wine__ on a stormy night,

G♭   C♭
  The rain is lashing down,

G♭   C♭   D♭   B♭7sus4
  And I'm waiting for her.

Hard To Handle

Words & Music by Otis Redding, Alvertis Isbell & Allen Jones

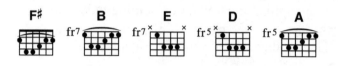

Intro

| **2** | **F#** | **B** | **F#** ‖

Verse 1

  B   **E**
Hey there, here I am

      B   **E**
I'm the man on the scene,

  B   **E**
I can give you what you want

      B   **E**
But you got to come home with me.

  B   **E**
I forgot some good old lovin'

      B   **E**
And I got some more in store,

  B   **E**
When I get to thrown it on you

      B   **B**
You got to come back for more.

Chorus 2

F#
Toys and things that come by the dozen

F#
That ain't nothin' but drug store lovin',

B   **N.C**
Hey little thing, let me light your candle

'Cause mama I'm sure hard to handle, now, gets around.

| **D E** | **A E B** |

Verse 2

    B   **E**
Action speaks louder than words

          B   **E**
And I'm a man of great experience,

    B   **E**
I know you got another man

          B   **E**
But I can love you better than him.

    B   **E**
Take my hand, don't be afraid

          B   **E**
I'm gonna prove every word I say,

    B   **E**
I'm advertisin' love for free

          B
So, you can place your ad with me.

Chorus 2

    F♯
Once it come along a dime by the dozen

    F♯
That ain't nothin' but ten cent lovin'.

    B   **N.C**
Hey little thing, let me light your candle

'Cause mama I'm sure hard to handle, now, gets around.

    A E B
      Yeah,

    A E B
      hard to handle, now,

    A E B
      Oh, baby.

    A E B

Verse 3

B   **E**
Baby, here I am
    B   **E**
The man on your scene,
B   **E**
I can give you what you want
       B   **E**
But you got to come home with me.
B   **E**
I forgot some good old lovin'
     B   **E**
And I got some more in store,
B   **E**
When I get to thrown it on you
       B
You got to come runnin' back for more.

Chorus 3

F♯
Once it come along a dime by the dozen
F♯
That ain't nothin' but drug store lovin'.
B   **N.C**
Hey little thing, let me light your candle

'Cause mama I'm sure hard to handle, now, gets around.
A E B
   Hard,
A E B
   Hard to handle, now,
A E B
   Oh yeah,
A D B
Yeah, yeah.

Instr.   ‖: **B** :‖ *Play 8 times*

Chorus 4

F♯
Once it come along a dime by the dozen

F♯
That ain't nothin' but ten cent lovin'.

B5 N.C
Hey little babe, let me light your candle

'Cause mama I'm sure hard to handle, now, gets around.

A E B
   Yeah,

A E B
    so hard to

A   E   B
handle, now

   A E B
Oh yeah.

Outro

B   B
Baby, good lovin'

B B   B
Baby, baby, owww, good lovin'

      B   B
I need good lovin'

     B   A E B
I got to have, oh yeah,

A E B
Yeah

       A   E B
So hard to handle, now, yeah

A E B
   Um-um-um.

Here She Comes Now

Words & Music by Lou Reed, John Cale, Sterling Morrison & Maureen Tucker

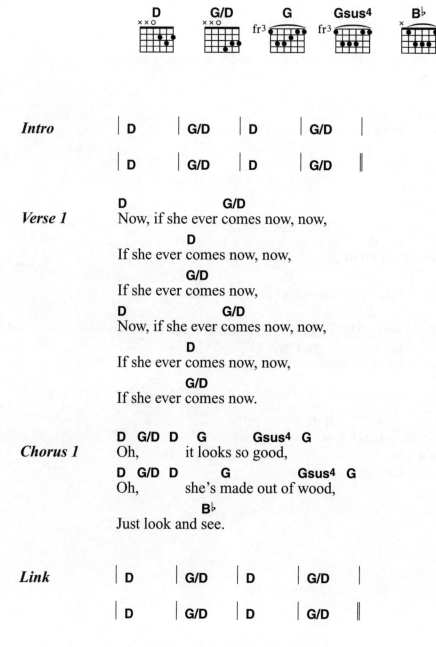

Intro
| D | G/D | D | G/D |

| D | G/D | D | G/D ‖

Verse 1

D   G/D
Now, if she ever comes now, now,

         D
If she ever comes now, now,

         G/D
If she ever comes now,

D   G/D
Now, if she ever comes now, now,

         D
If she ever comes now, now,

         G/D
If she ever comes now.

Chorus 1

D G/D D G   Gsus4 G
Oh,   it looks so good,

D G/D D   G   Gsus4 G
Oh,   she's made out of wood,

         B♭
Just look and see.

Link
| D | G/D | D | G/D |

| D | G/D | D | G/D ‖

Verse 2   As Verse 1

Chorus 2   As Chorus 1

                 D   **G/D**
Outro   Oh, it's made out of wood
                                D
                 Just look and see now,
                          G/D
                 ‖: If she ever comes, if she ever comes now,
                 D
                 Now, now, now,
                 G/D   **D**
                     If she ever, ever, ev - er comes,

                 N - n - n - now, now,
                 G/D   **D**
                     If she ever, ever, ever comes,

                 N - n - n - now, now,   :‖ *Repeat to fade*

Highway To Hell

Words & Music by Angus Young, Malcolm Young & Brian Johnson

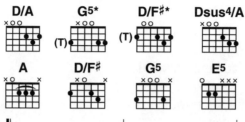

Intro
A ‖: N.C. D/F♯ G5 | N.C. D/F♯ G5 |

| D/F♯ G5 D/F♯ A | A N.C. A :‖

Verse 1

A   D/F♯ G5   D/F♯ G5
Livin' easy,   livin' free,

D/F♯ G5   D/F♯ A
Season ticket on a one way ride.

       D/F♯ G5   D/F♯ G5
Askin' nothin',   leave me be,

D/F♯ G5 D/F♯ A
Takin' ev'ry - thin' in my stride.

       D/F♯ G5   D/F♯ G5
Don't need reason,   don't need rhyme,

D/F♯ G5   D/F♯ A
Ain't nothin' I'd rather do.

       D/F♯ G5   D/F♯ G5
Goin' down,   party time,

D/F♯ G5   D/F♯ E5
My friends are gonna be there too.

Chorus 1

E5   A   D/A
I'm on the highway to Hell,

G5* D/F♯* A   D/A
On the highway to Hell.

G5* D/F♯* A   D/A
I'm on the highway to Hell,

G5* D/F♯* A   D/A | D/A   A ‖
I'm on the highway to Hell.

Verse 2

A   D/F♯ G5   D/F♯ G5
No stop signs, speed limit,

D/F♯ G5 D/F♯ A
Nobody's gonna slow me down.

cont.

      D/F♯ G5   **D/F♯ G5**
Like a wheel,   gonna spin it,

D/F♯ G5   D/F♯ A
   Nobody's gonna mess me around.

          D/F♯ G5   **D/F♯ G5**
Hey Satan,   pay'n' my dues,

D/F♯ G5   D/F♯ A
    Playin' in a rockin' band.

           D/F♯ G5   **D/F♯ G5**
Hey, momma,   look at me,

D/F♯   G5   D/F♯   E5
I'm on my way to the promised land.

       E5   **A**   **D/A**
Chorus 2   I'm on the highway to hell,

G5* D/F♯* A   **D/A**
  On the   highway to hell.

G5*   D/F♯* A   **D/A**
  I'm on the highway to hell,

G5*   D/F♯* A   **D/A** | **D/A Dsus4/A D/A** |
  I'm on the highway to hell.

                 | **D/A Dsus4/A D/A** | **D/A Dsus4/A D/A** ‖
Don't stop me!

Solo   ‖: **A**   **D/A**| **D/A**   **G5* D/F♯** :‖   *Play 4 times*

       (G5*   D/A) A   **D/A**
Chorus 3   I'm on the highway to hell,

G5* D/F♯* A   **D/A**
   On the highway to hell.

G5*   D/F♯* A   **D/A**
  I'm on the highway to hell,

G5*   D/F♯* A | **N.C. G5* D/F♯** ‖
  I'm on the highway to...

              A   **D/A**
Chorus 4 I'm on the highway to hell,

G5* D/F♯* A   **D/A**
   On the highway to hell.

G5*   D/F♯* A   **D/A**
   I'm on the highway to hell,

G5*   D/F♯* A   **D/A**
   I'm on the highway to hell.

                        A
And I'm goin' down all the way,

On the highway to hell.

Hey Joe

Words & Music by Billy Roberts

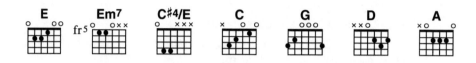

Intro

| E Em7 C#4/E | E ‖

Guitar fill

Verse 1

C   G   D   A   E   E
Hey Joe, where you goin' with that gun of yours?

C   G   D   A   E   E
  Hey Joe, I said where you goin' with that gun in your hand,

C   G
  I'm goin' down to shoot my lady,

D   A   E   E
  You know I caught her messin' 'round with a - nother man.

     C   G
Yeah, I'm goin' down to shoot my lady,

D   A   E
  You know I caught her messin' 'round with another man

E
Huh! And that ain't cool.

Verse 2

  C   G D A   E
  A hey Joe,   I heard you shot your woman down,

              E
You shot her down now,

  C   G D A   E
  A hey Joe,   I heard you shot your old lady down,

               E
You shot her down in the ground,   yeah!

C   G
  Yes, I did, I shot her,

D   A   E   E
  You know I caught her messin' 'round, messin' 'round town,

    C G
Uh, yes I did, I shot her.

cont.

    D   A   E
You know I caught my old lady messin' 'round town,

                E
And gave her the gun,

And I shot her.

Guitar solo

C G D A E   E
              Alright, shoot her one more time again baby!

C G D A E   E
              Yeah! Dig it.

C G D A E E
              Oh alright.

Verse 3

C   G
Hey Joe,

D A   E   E
  Where you gonna run to now, where you gonna go?

C   G
Hey Joe, I said

D A   E   E
  Where you gonna run to now, where you gonna go?

C   G
I'm goin' way down South,

D A   E   E
  Way down to Mexico way.

C   G
I'm goin' way down South,

D A   E
  Way down where I can be free,

      E
Ain't no one gonna find me.

Outro

C   G
Ain't no hang-man gonna,

D   A   E
He ain't gonna put a rope around me,

             E
You better believe it right now,

I gotta go now,

C   G
Hey Joe,

D   A   E
You better run on down,

            E
Goodbye everybody. Ow!   *To fade*

Hey Ya!

Words & Music by André Benjamin

G   C   D   E

Verse 1

           G
1, 2, 3, Uh!

               C
My baby don't mess around

Because she loves me so

            D   E
And this I know fo' sho' (Uh!)

G   C
    But does she really wanna

                              D   E
Not to expect to see me walk out the do'?

G   C
    Don't try to fight the feeling

'Cause the thought alone

            D   E
Is killing me right now. (Uh!)

G   C
    Thank God for Mom and Dad

For sticking two together

            D   E
'Cause we don't know how.

C'mon!

Chorus 1

G   C   D   E
Hey Ya! Hey Ya!

G   C   D   E
Hey Ya! Hey Ya!

G   C   D   E
Hey Ya! Hey Ya!

G   C   D   E
Hey Ya! Hey Ya!

G
You think you've got it

C
Oh, you think you've got it

But got it just don't get it
         D   E
'Til there's nothing at all. (Ah!)
G
We get together

C
Oh, we get together

But separate's always better
         D   E
When there's feelings in - volved. (Oh!)
G   C
If what they say is "nothing is forever"

Then what makes,

Then what makes,
     D
Then what makes,
     E
Then what makes,

Then what makes, (What makes? What makes?)

Love the exception?
G
So why oh, why oh

C
Why oh, why oh, why oh

Are we so in denial
         D   E   N.C.
When we know we're not happy here?

         G   C
Y'all don't want to hear me, you just want to dance,
       (Hey   Ya!)
    D E
(Hey Ya!)
                          G   C
Don't want to meet your daddy,   just want you in my Caddy
                 (Hey   Ya!)

     D   **E**
(Hey Ya!)

                      G   **C**
Don't want to meet your momma,   just want to make you come-a
               (Hey   Ya!)

     D   **E**
     I'm,   I'm
(Hey   Ya!)

G   **C**   **D**   **E**
   I'm just being honest, I'm just being honest
(Hey   Ya!)   (Hey   Ya!)

Verse 3   Hey! Alright now!

          G   **C**
Alright now, fellas! (Yeah!)

                        D **E**
Now what's cooler than being cool? (Ice cold!)

I can't hear ya!

                    G   **C**
I say what's, what's cooler than being cool? (Ice cold!)

               D   **E**
Alright, alright, alright, alright, al - right, alright, al - right,

Alright, alright, alright, alright, alright, alright, alright,

         G   **C**
Okay now, ladies! (Yeah!)

                              D   **E**
Now we gon' break this thing down in just a few seconds

                          G
Now don't have me break this thing down for nothin!

    C
Now I wanna see y'all on y'all baddest behaviour!

D   **E**
Lend me some sugar!

I am your neighbour!

Ah! Here we go! Uh!

Breakdown

(Dbass)
Shake it, sh-shake it

(Cbass)
Shake it, sh-shake it

Shake it, sh-shake it

(Dbass)
Shake it, shake it

(Ebass)
Sh-shake it

(Dbass)
Shake it like a Polaroid picture (Hey ya!)

(Cbass)
Shake it, sh-shake it (Ok!)

Shake it, sh-shake it

(Dbass)
Shake it, shake it (Ok!)

(Ebass)
Shake it, sh-shake it (Shake it sugar!)

Shake it like a Polaroid picture

(Dbass)   (Cbass)
Now all Beyonce's and Lucy Lui's and baby dolls

(Dbass)   (Ebass)
  Get on the floor

(Git on the flo')

(Dbass) (Cbass)
You know what to do,

(Dbass)
You know what to do,

(Ebass)
  You know what to do.

Chorus 3

```
 ‖:  G   C        D   E
    Hey Ya! (Oh oh!) Hey Ya! (Oh oh!)
    G   C        D   E
    Hey Ya! (Oh oh!) Hey Ya! (Oh oh! Hey Ya!)
    G   C        D   E
    Hey Ya! (Oh oh!) Hey Ya! (Oh oh!)
    G   C        D   E
    Hey Ya! (Oh oh!) Hey Ya! (Oh oh!) :‖  Repeat to fade
```

I Am The Resurrection

Words & Music by John Squire & Ian Brown

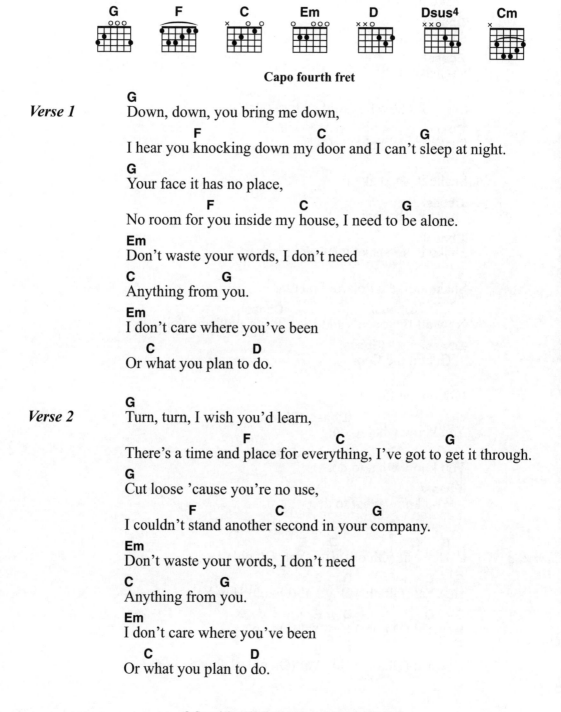

Capo fourth fret

Verse 1

    G
Down, down, you bring me down,
          F   **C**   **G**
I hear you knocking down my door and I can't sleep at night.
    G
Your face it has no place,
          F   **C**   **G**
No room for you inside my house, I need to be alone.
Em
Don't waste your words, I don't need
C   **G**
Anything from you.
Em
I don't care where you've been
      C   **D**
Or what you plan to do.

Verse 2

    G
Turn, turn, I wish you'd learn,
          F   **C**   **G**
There's a time and place for everything, I've got to get it through.
    G
Cut loose 'cause you're no use,
          F   **C**   **G**
I couldn't stand another second in your company.
Em
Don't waste your words, I don't need
C   **G**
Anything from you.
Em
I don't care where you've been
      C   **D**
Or what you plan to do.

Verse 3

G
Stone me, why can't you see

                F   C   G

You're a no-one, nowhere washed up baby who'd look better dead.

G
Your tongue is far too long,

               F   C   G

I don't like the way it sucks and slurps upon my every word.

Em
Don't waste your words, I don't need

C   G
Anything from you.

Em
I don't care where you've been

    C   D Dsus4 | D ||
Or what you plan to do.

          C   Cm   G

Chorus 1   I am the resurrection and I am the light,

        C   Cm
I couldn't ever bring myself

     G   Em | Em | C | G ||
To hate you as I'd like.

Instrumental | Em | Em | C | G |

                | Em | Em | C | D Dsus4 | D ||

          C   Cm   G

Chorus 2   I am the resurrection and I am the light,

        C   Cm
I couldn't ever bring myself

     G   Em | Em | C | G |
To hate you as I'd like.

| Em | Em | C | D ||
Oo, _____ ooh.

                       Repeat ad lib. to fade

Outro ||: G | G | G | G   :||

I Just Don't Know What To Do With Myself

Words by Hal David
Music by Burt Bacharach

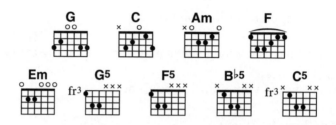

Intro

| G C | G N.C. | G C | G N.C. ‖

Chorus 1

           G   C   G
I just don't know what to do with my - self,
              C   G
I don't know what to do with my - self,

Verse 1

   Am
    Planning everything for two,
  F
    And doing everything with you,
       Em   A
And now that we're through,
         G   C G
I just don't know what to do.

Chorus 2

N.C.   G   C   G
I just don't know what to do with my - self,
N.C. G   C   G
I don't know what to do with my - self,

Verse 2

   Am
    Movies only make me sad,
  F
    And parties make me feel as bad,
      Em   A
'Cause I'm not with you,
         G   C G
I just don't know what to do.

```
                          G5
Bridge1     Like a summer rose,
                            F5
            Needs the sun and rain,
                        B♭5
            I need your sweet love
            F5                C5
              To beat love a - way.

            N.C.      G           C          G
Chorus 3    Well I don't know what to do with my - self,
            N.C.    G           C          G
            Just don't know what to do with my - self.

            Am
Verse 3       Planning everything for two,
            F
              And doing everything with you,
                Em          Am
            And now that we're through,
                      G         C  G
            I just don't know what to do.


Bridge 2    As Bridge 1

            N.C.      G5          F5          G5
Outro       I just don't know what to do with my - self,
                                  F5          G5
            Just don't know what to do with my - self,
                                  F5          G5
            Just don't know what to do with my - self,
                               F5          G5
            I don't know what to do with my - self.
```

I'm A Believer

Words & Music by Neil Diamond

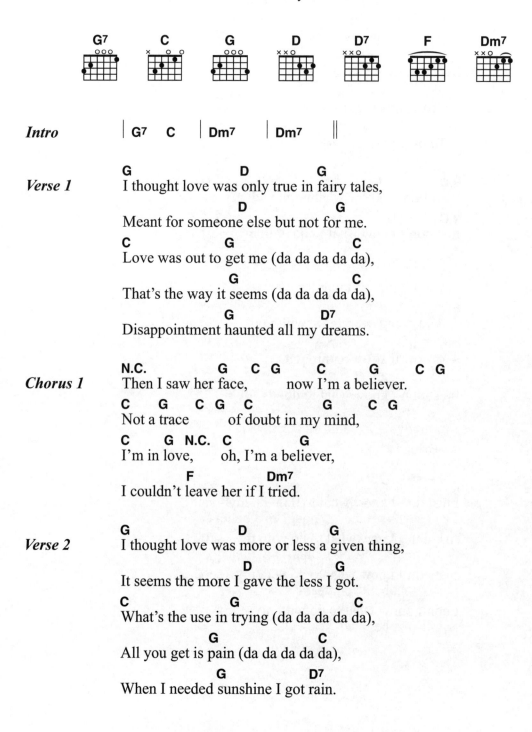

Intro | G7   C | Dm7 | Dm7 ‖

Verse 1
```
G                   D          G
I thought love was only true in fairy tales,
                      D            G
Meant for someone else but not for me.
C            G              C
Love was out to get me (da da da da da),
            G                  C
That's the way it seems (da da da da da),
            G           D7
Disappointment haunted all my dreams.
```

Chorus 1
```
N.C.           G   C G    C      G      C G
Then I saw her face,    now I'm a believer.
C    G   C G  C         G      C G
Not a trace     of doubt in my mind,
C     G N.C. C      G
I'm in love,   oh, I'm a believer,
          F          Dm7
I couldn't leave her if I tried.
```

Verse 2
```
G                  D           G
I thought love was more or less a given thing,
                     D        G
It seems the more I gave the less I got.
C              G             C
What's the use in trying (da da da da da),
            G                C
All you get is pain (da da da da da),
            G            D7
When I needed sunshine I got rain.
```

Chorus 2

```
N.C.            G   C G     C       G      C G
Then I saw her face,        now I'm a believer.
C    G   C G  C          G      C G
Not a trace      of doubt in my mind,
C    G N.C.  C        G
I'm in love,     oh, I'm a believer,
                F          Dm7
I couldn't leave her if I tried.
```

Solo

```
‖: G7    |  D7   |  G    |  G7   :‖
```

Verse 3

```
        C               G            C
   Love was out to get me (da da da da da),
                 G              C
That's the way it seems (da da da da da),
                 G          D7
Disappointment haunted all my dreams.
```

Chorus 3

```
N.C.            G   C G     C       G      C G
Then I saw her face,        now I'm a believer.
C    G   C G  C          G      C G
Not a trace      of doubt in my mind:
C    G  N.C. C        G
I'm in love,     oh, I'm a believer,
                F          Dm7
I couldn't leave her if I tried.
```

Coda

```
            G   C G  C       G      C G
Yes I saw her face,     now I'm a believer.
C    G   C G  C          G      C G
Not a trace      of doubt in my mind.
      C     G          C G C G C G
Said I'm a believer, yeah, _____
      C     G          C G
Said I'm a believer, yeah.
```

Fade out

I'm Not In Love

Words & Music by Eric Stewart & Graham Gouldman

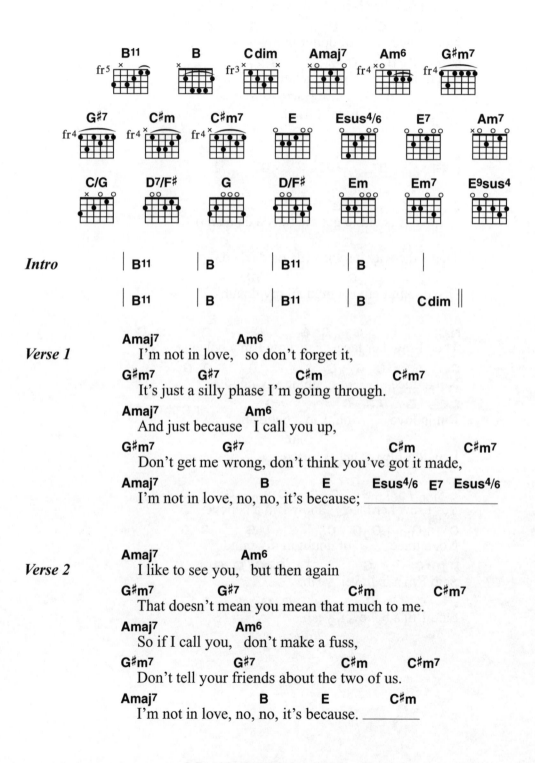

Intro
| B¹¹ | B | B¹¹ | B | |
| B¹¹ | B | B¹¹ | B Cdim ‖

Verse 1

Amaj⁷   Am⁶
I'm not in love,   so don't forget it,

G#m⁷   G#⁷   C#m   C#m⁷
It's just a silly phase I'm going through.

Amaj⁷   Am⁶
And just because   I call you up,

G#m⁷   G#⁷   C#m   C#m⁷
Don't get me wrong, don't think you've got it made,

Amaj⁷   B   E   Esus⁴/⁶   E⁷   Esus⁴/⁶
I'm not in love, no, no, it's because; _____

Verse 2

Amaj⁷   Am⁶
I like to see you,   but then again

G#m⁷   G#⁷   C#m   C#m⁷
That doesn't mean you mean that much to me.

Amaj⁷   Am⁶
So if I call you,   don't make a fuss,

G#m⁷   G#⁷   C#m   C#m⁷
Don't tell your friends about the two of us.

Amaj⁷   B   E   C#m
I'm not in love, no, no, it's because. _____

Link | **Sound effects**   ‖

Verse 3
Amaj⁷   **Am⁶**
  I keep your picture upon the wall,
G♯m⁷   **G♯7**   **C♯m**   **C♯m⁷**
  It hides a nasty stain that's lying there.
Amaj⁷   **Am⁶**
  So don't ask me to give it back,
G♯m⁷   **G♯7**   **C♯m**   **C♯m⁷**
  I know you know it doesn't mean that much to me.
Amaj⁷   **B**   **E**
  I'm not in love, no, no, it's because;

Bridge
Am⁷ C/G D⁷/F♯   **G   D/F♯ Em Em⁷**
Ooh, you'll wait a long time for me.
Am⁷ C/G D⁷/F♯   **E⁹sus⁴ E**
Ooh, you'll wait a long time.
Am⁷ C/G D⁷/F♯   **G   D/F♯ Em Em⁷**
Ooh, you'll wait a long time for me.
Am⁷ C/G D⁷/F♯   **E⁹sus⁴ E**
Ooh, you'll wait a long time.

Verse 4
Amaj⁷   **Am⁶**
  I'm not in love, so don't forget it,
G♯m⁷   **G♯7**   **C♯m**   **C♯m⁷**
  It's just a silly phase I'm going through.
Amaj⁷   **Am⁶**
  And just because I call you up,
G♯m⁷   **G♯7**   **C♯m**   **C♯m⁷**
  Don't get me wrong, don't think you've got it made,
Amaj⁷   **Am⁶**
  I'm not in love, I'm not in love...

‖: **B¹¹** | **B**   :‖ *Repeat to fade*

101

It's My Life

Words & Music by Mark Hollis & Tim Friese-Greene

E♭7 B♭m7 A♭ E Am

Dm G C F Fm7

Intro

‖: E♭7 | E♭7 | B♭m7 | A♭ :‖

Verse 1

E♭7   B♭m7   A♭   E♭7   B♭m7 A♭
Funny how I ___ find myself in love with you.

E♭7   B♭m7   A♭   E♭7   B♭m7 A♭
If I could find my ___ reasoning I pay to lose.

        E   Am Dm | G C |
One half won't do.

        F   Am Dm | G C |
I've asked myself: how much do you ___

        F
Commit yourself?

Chorus 1

G   Am Dm G   C   Am Dm G
It's my life,   don't you forget.

C   Am Dm G   C   Am Dm G C
It's my life,   it never ends.

Link 1

| Fm7 | Fm7 | E♭7 | E♭7 | B♭m7 | A♭ ‖

Verse 2

E♭7   B♭m7   A♭   E♭7   B♭m7 A♭
Funny how I ___ blind myself, I never knew

E♭7   B♭m7   A♭
If I was sometimes ___ played upon,

        E   Am Dm | G C |
Afraid to lose.

        F   Am Dm | G C |
I'd tell myself what good you do, _____

        F
Convince myself:

Chorus 2

```
G      Am  Dm  G          C      Am    Dm  G
It's my life,           don't you forget.
C      Am  Dm  G   C   Am    Dm  G   C
It's my life,          it never ends.
```

Instrumental

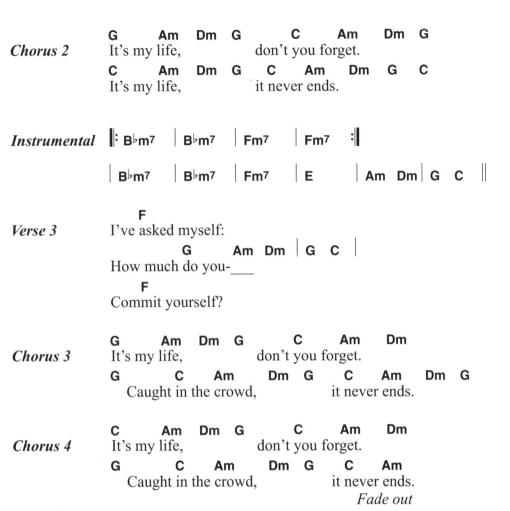

```
‖: B♭m7  | B♭m7  | Fm7    | Fm7    :‖

 | B♭m7  | B♭m7  | Fm7    | E      | Am  Dm | G   C ‖
```

Verse 3

```
        F
I've asked myself:
             G      Am  Dm | G   C |
How much do you-___
        F
Commit yourself?
```

Chorus 3

```
G      Am  Dm  G          C      Am    Dm
It's my life,           don't you forget.
G      C   Am    Dm  G   C    Am   Dm  G
   Caught in the crowd,     it never ends.
```

Chorus 4

```
C      Am  Dm  G          C      Am    Dm
It's my life,           don't you forget.
G      C   Am    Dm  G   C    Am
   Caught in the crowd,     it never ends.
                           Fade out
```

103

Heroes And Villains

Words & Music by Brian Wilson & Van Dyke Parks

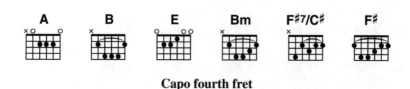

Capo fourth fret

Verse 1

     A
I've been in this town so long that back in the city,

I've been taken for lost and gone,
       B
And unknown for a long long time.
    E
Fell in love years ago,

With an innocent girl,

From the Spanish and Indian home,
       A
Home of the heroes and villains.

Verse 2

A
Once at night Catillian squared the fight,

And she was right in the rain of the bullets,
      B
That eventually brought her down.
   E
But she's still dancing in the night,

Unafraid of what a dude'll do,
       A   ⌢
                E
In a town full of heroes and villains.

Chorus 1

Bm
Heroes and villains,

Just see what you've done.

| **E** | **E** | |

Bm
Heroes and villains,

Just see what you've done.

| **E** | **E** | |

F♯7/C♯　　　**F♯**　　**Bm**
Na, na, na, na, na, na, na, na.

Verse 3

A
La, la, la, la, la, la, la, la, la, la,

La, la, la, la, la, la, la, la, la, la,
B
La, la, la.

　　　　　E
Stand or fall I know there

Shall be peace in the valley

And it's all an affair

　　　　　　　　　　　　　　A
Of my life with the heroes and villains.

Interlude

| **A** | **A** | **B** | **E** | **E** | **A** | **E** ⌢ | ‖

Verse 4

　　　(A)
My children were raised,

You know they suddenly rise.

They started slow long ago,
　　　　　　　　　　　　　　　⌢
　　　　　　　　　　　　　　　A
Head to toe healthy weathy and wise.
N.C.
I've been in this town so long,

105

cont.   So long to the city.

I'm fit with the stuff,

To ride in the rough.

And sunny down snuff I'm alright,

By the heroes and . . .

Chorus 2   ‖: **Bm**
             Heroes and villains,

Just see what you've done.

| **E** | **E** | |

Bm
Heroes and villains,

Just see what you've done.

| **E** | **E**   :‖   *Repeat to fade*

Jailbird

Words & Music by Bobby Gillespie, Andrew Innes & Robert Young

Tune guitar slightly sharp

Intro

| 5
|‖
Drums

| A5 A7 (no3) | A6 A5 | A5 A7 (no3) | A6 A5 |

| A5 A7 (no3) | A6 A5 | A5 A7 (no3) | A6 A5 |

Verse 1

A5
Scratchin' like a tom cat

     A5
Got a monkey on my back,

       G
I'm gonna push and pull

      D
And howl like wolf

    G   **D**   **Am**
And drive my Cadil - lac.

Verse 2

A5
I've got medication, honey

A5
I've got wings to fly

      G
I've got horse hoof tea

    D
To buzz you like a bee

      G   **D**   **Am**
Gonna blind the evil eye.

                            F♯m
Pre-chorus 1   Push and pull with me

                            A
                 Funky jammin' free

                 B
                 Walk it like you talk it, honey

                 D
                 Strut your funky stuff

                 Come on____

                            A
Chorus 1   I'm yours, you're mine

                 G   **D**
                 Gimme more of that Jailbird pie

                            A
                 I'm yours, you're mine

                 G   **D**
                 Gimme more of that Jailbird pie

                            A
                 I'm yours, you're mine

                 G   **D**
                 Gimme more of that Jailbird pie

                            A
                 I'm yours, you're mine

                 G   **D**   **Am**
                 Yeah, yeah, yeah.

Instr. | **A5 A7 (no3)** | **A6 A5** | **A5 A7 (no3)** | **A6 A5** ‖

                 A5
Verse 3   Come in my kitchen

                 I've got hop head soup for grease,

                            G
                 Just shake your hips

                            D
                 And let it rip

                            G   **D**   **Am**
                 And let the spirit free.

108

Verse 4

A⁵
Ride on baby, ride on
       A⁵
Let your crazy horses loose,
      G
Give it all you got
        D
When you're hot to trot
      G   **D**   **Am**
'N' wave bye-bye to the blues.

Pre-chorus 2

        F♯m
Shake it to the east,
    A
Shake it to the west,
B
Shake it with the very one
D
That you love the best

Come on——

Chorus 2   As Chorus 1

Guitar solo | **A⁵** | **A⁵** | **A⁵** | **A⁵** |

              | **G D** | **G D A** | **G D** | **G D A** ‖

Link   ‖: **A⁵ A⁷ (no3)** | **A⁶ A⁵** :‖ *Play 6 times*

Outro

‖:   **A**
 I'm yours, you're mine
G   **D**
Gimme more of that Jailbird pie. :‖ *Repeat to fade*

Keep On Running

Words & Music by Jackie Edwards

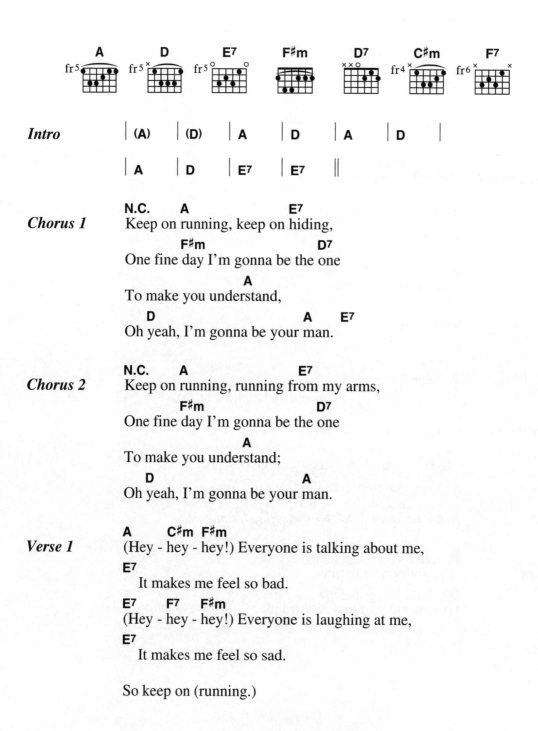

Intro | (A) | (D) | A | D | A | D |

| A | D | E7 | E7 ||

Chorus 1
N.C.   A   E7
Keep on running, keep on hiding,
           F♯m   D7
One fine day I'm gonna be the one
                   A
To make you understand,
       D   A   E7
Oh yeah, I'm gonna be your man.

Chorus 2
N.C.   A   E7
Keep on running, running from my arms,
           F♯m   D7
One fine day I'm gonna be the one
                   A
To make you understand;
       D   A
Oh yeah, I'm gonna be your man.

Verse 1
       A   C♯m F♯m
(Hey - hey - hey!) Everyone is talking about me,
E7
   It makes me feel so bad.
E7   F7   F♯m
(Hey - hey - hey!) Everyone is laughing at me,
E7
   It makes me feel so sad.

So keep on (running.)

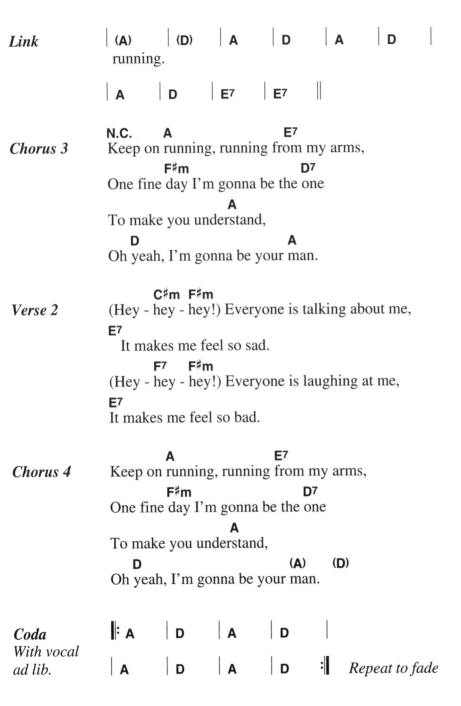

Link | (A) | (D) | A | D | A | D |

running.

| A | D | E⁷ | E⁷   ‖

Chorus 3

       N.C.   A   E⁷
Keep on running, running from my arms,
          F♯m   D⁷
One fine day I'm gonna be the one
                   A
To make you understand,
     D   A
Oh yeah, I'm gonna be your man.

Verse 2

          C♯m F♯m
(Hey - hey - hey!) Everyone is talking about me,
E⁷
  It makes me feel so sad.
          F⁷   F♯m
(Hey - hey - hey!) Everyone is laughing at me,
E⁷
It makes me feel so bad.

Chorus 4

          A   E⁷
Keep on running, running from my arms,
         F♯m   D⁷
One fine day I'm gonna be the one
                A
To make you understand,
     D   (A)   (D)
Oh yeah, I'm gonna be your man.

Coda
With vocal
ad lib.

‖: A | D | A | D |

| A | D | A | D   :‖   *Repeat to fade*

Jeremy

Words by Eddie Vedder
Music by Jeff Ament

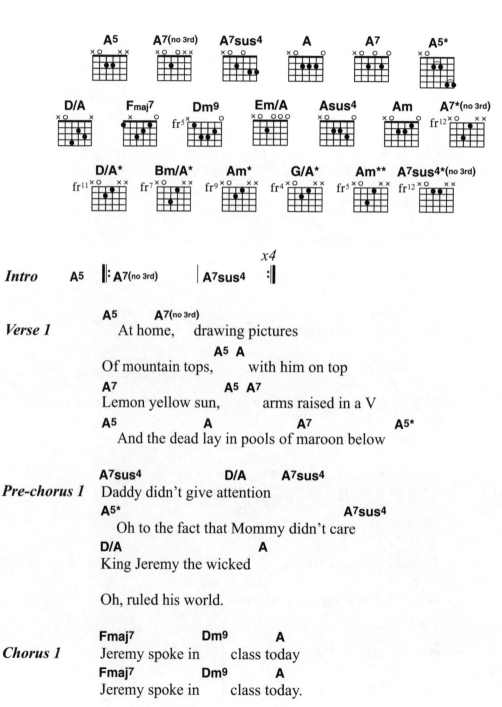

Intro   A5   ‖: A7(no 3rd) | A7sus4   :‖   *x4*

Verse 1

A5   A7(no 3rd)
At home,   drawing pictures
                    A5   A
Of mountain tops,   with him on top
A7   A5   A7
Lemon yellow sun,   arms raised in a V
A5   A   A7   A5*
And the dead lay in pools of maroon below

Pre-chorus 1

A7sus4   D/A   A7sus4
Daddy didn't give attention
A5*   A7sus4
    Oh to the fact that Mommy didn't care
D/A   A
King Jeremy the wicked

Oh, ruled his world.

Chorus 1

Fmaj7   Dm9   A
Jeremy spoke in   class today
Fmaj7   Dm9   A
Jeremy spoke in   class today.

Verse 2

A5 A7(no 3rd)   A5
  Clearly I remember picking on the boy

A   A7
  Seemed a harmless little fuck

A5 A7
Ooh, but we unleashed a lion

     A5   A
Gnashed his teeth and bit the recess ladies breast

      A5*
How could I forget

A7sus4
  And he hit me with a surprise left

A   A5
  My jaw left hurting, ooh, dropped wide open

A7(no 3rd)   Em/A
Just like the day

   A   Asus4 A A5*
  Oh like the day I heard.

Pre-chorus 2

A7sus4   D/A   A7sus4
Daddy didn't give affection, no

   A   A5 A7sus4
And the boy was something that Mommy wouldn't wear

D/A   A
King Jeremy the wicked

Oh, ruled his world.

Chorus 2

Fmaj7   Dm9   A
Jeremy spoke in class today
Fmaj7   Dm9   A
Jeremy spoke in class today
Fmaj7   Dm9   A
Jeremy spoke in class today.

Instrumental

        x4
‖: A5* A7sus4 :‖

Middle

     A5* A7sus4   A5*
Try to forget this (try to forget this)

A7sus4 A5* A7sus4 A
Try to erase this (try to erase this)

       Fmaj7 Dm Am
From the blackboard.

113

Chorus 3

Fmaj7   Dm9   A
Jeremy spoke in   class today
Fmaj7   Dm9   A
Jeremy spoke in   class today
Fmaj7   Dm9
Jeremy spoke in,   spoke in . . .
Am
Jeremy spoke in, spoke in . . .
Fmaj7   Dm9   A
Jeremy spoke in   class today.

Instrumental

x 2

‖: Fmaj7 | Dm9 | Am | Am :‖

x 6

‖: Fmaj7 | Dm9 | A5* | A5* :‖

Free rhythm

Outro

A7*(no 3rd)   D/A*   Bm/A*   Am*   G/A*   Am**   G/A*

Am**   A7*(no 3rd)   D/A*   Bm/A*   Am*   G/A*

Am**   G/A*   A7sus4*(no 3rd)

114

Keep The Faith

Words & Music by Jon Bon Jovi, Richie Sambora & Desmond Child

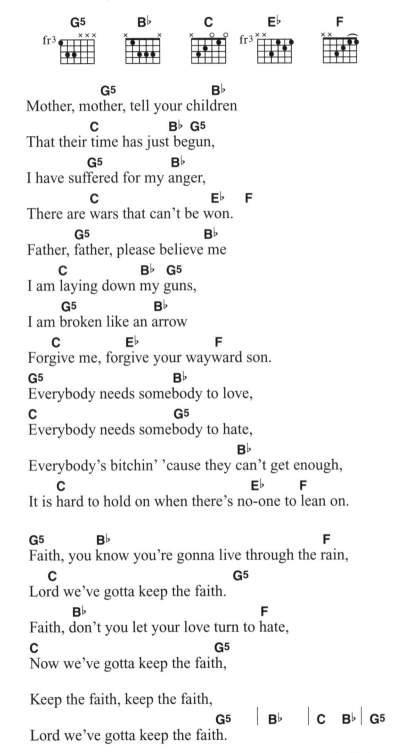

Verse 1

            G5   B♭
Mother, mother, tell your children
        C   B♭ G5
That their time has just begun,
          G5   B♭
I have suffered for my anger,
         C   E♭   F
There are wars that can't be won.
         G5   B♭
Father, father, please believe me
       C   B♭ G5
I am laying down my guns,
        G5   B♭
I am broken like an arrow
       C   E♭   F
Forgive me, forgive your wayward son.
G5   B♭
Everybody needs somebody to love,
C   G5
Everybody needs somebody to hate,
                       B♭
Everybody's bitchin' 'cause they can't get enough,
       C   E♭   F
It is hard to hold on when there's no-one to lean on.

Chorus 1

        G5   B♭   F
Faith, you know you're gonna live through the rain,
     C   G5
Lord we've gotta keep the faith.
       B♭   F
Faith, don't you let your love turn to hate,
C   G5
Now we've gotta keep the faith,

Keep the faith, keep the faith,
                      G5 | B♭ | C B♭ | G5
Lord we've gotta keep the faith.

Verse 2

       G5   B♭
Tell me baby, when I hurt you

         C   G5
Do you keep it all inside?

       G5   B♭
Do you tell me all's forgiven

           C   E♭   F
Or just hide behind your pride?

G5   B♭
Everybody needs somebody to love,

C   B♭   G5
Everybody needs somebody to hate,

                                B♭
Everybody's bitchin' 'cause the times are tough,

               C   E♭   F
Well it's hard to be strong when there's no-one to dream on.

Chorus 2

       G5   B♭   F
Faith, you know you're gonna live through the rain,

   C   G5
Lord we've gotta keep the faith.

       B♭   F
Faith, don't you know it's never too late,

      C   G5
Right now we've gotta keep the faith.

      B♭   F
Faith, don't let your love turn to hate,

   C   G5
Lord, you've gotta keep the faith.

G5
Keep the faith, keep the faith,

                               G5
Oh, we've gotta keep the faith,

       B♭   C
Keep the faith, keep the faith,

G5   F
Lord we've gotta keep the faith.

Guitar solo   ‖: G5 | B♭ | C | G5   :‖ *Play 3 times*

                | G5 | B♭ | C | E♭ F ‖ G5

Spoken   I've been walking in the footseps of society's lies,

I don't like what I see no more, sometimes I wish I was blind.

Sometimes I wait forever, to stand out in the rain,

So no-one sees me cryin', tryin' to wash away this pain.

                G5   **B♭**   **C**   **B♭**

Sung   Mother, father says things I've done I can't erase,

G5

Every night we fall from grace,

 B♭   **C**

Hard with the world in your face,

          E♭ **F**   **G5**

Try to hold on, try to hold on.

       G5   **B♭**   **F**

Chorus 3   ‖: Faith, you know you're gonna live through the rain,

C   **G5**

Lord we've gotta keep the faith.

        B♭   **F**

Faith, don't you let your love turn to hate,

C   **G5**

Now we've gotta keep the faith,

        B♭   **F**

Keep the faith, keep the faith,

          E♭   **F**

Try to hold on, try to hold on. :‖ *Repeat to fade*

117

Killer Queen

Words & Music by Freddie Mercury

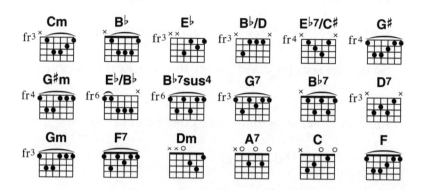

Verse 1

      Cm
She keeps Moet et Chandon

B♭
In her pretty cabinet

Cm
"Let them eat cake" she says

B♭
Just like Marie Antoinette

  E♭   **B♭/D**
A built-in remedy

   E♭7/C♯   **G♯**
For Kruschev and Kennedy

  G♯m   **E♭/B♭**
At anytime an invitation

         B♭7sus4
You can't de - cline.

G7   **Cm**
Caviar and cigarettes

B♭7   **E♭**
Well versed in etiquette

      D7   **Gm**
Extra - ordinarily nice.

F7   B♭   Dm
She's a Killer Queen

Gm   Dm
Gunpowder, gelatine

Gm   A7   Dm
Dynamite with a laser beam

G7   C
Guaranteed to blow your mind

B♭
   Anytime, ooh,

A7   Dm
Recommended at the price

      G7   C   B♭
In - satiable an appetite

Wanna try?

Link 1 | F B♭ | E♭ B♭ E♭ |

               | F B♭ | E♭ B♭ E♭

                  Cm
Verse 2   To a - void complications

      B♭
She never kept the same address

Cm
   In conversation

      B♭
She spoke just like a baroness,

E♭   B♭/D
Met a man from China

      E♭7/C♯   G♯
Went down to Geisha Minah

G♯m   E♭/B♭
Then again in - cidentally

               B♭7sus4
If you're that way in - clined.

         G7   Cm
Perfume came naturally from Paris

    B♭7   E♭
For cars she couldn't care less

     D7   Gm
Fast - idious and pre - cise.

Chorus 2

F7   B♭   Dm
She's a Killer Queen

Gm   Dm
Gunpowder, gelatine

Gm   A7   Dm
Dynamite with a laser beam

G7   C
Guaranteed to blow your mind

B♭
    Anytime.

Guitar Solo

| A7 Dm | A7 Dm | G7 Cm | G7 C F |

| F | F | F͡ | |

| Cm | B♭ | Cm | |

| B♭ | E♭ B♭/D E♭7 | C♯ | G♯ |

| G♯m E♭/B♭ | B♭7sus4 ‖

Verse 3

N.C.   G7   Cm
Drop of a hat she's as willing as

G7   Cm
Playful as a pussy cat

    B♭   E♭
Then momentarily out of action

B♭   E♭
Temporarily out of gas

   D7   Gm F   B♭ F B♭m
To absolutely drive you wild,—wild

          F
She's all out to get you.

Chorus 3

F7   Bb   Dm
She's a Killer Queen

Gm   Dm
Gunpowder, gelatine

Gm   A7   Dm
Dynamite with a laser beam

G7   C
Guaranteed to blow your mind

Bb
   Anytime.

A7   Dm
Recommended at the price

  G7   C   Bb
In - satiable an appetite

Wanna try?

Outro

| F   Bb | Eb   F | Bb   Eb |

| F   Bb | Eb   F | Bb   Eb ||: Eb   :| *To fade*

Listen To What The Man Said

Words & Music by Paul McCartney & Linda McCartney

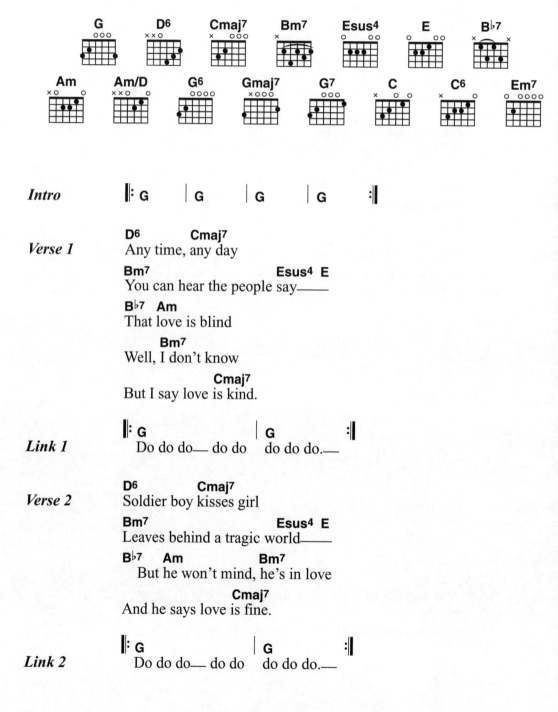

Intro   ‖: G | G | G | G :‖

Verse 1

D6　　　　Cmaj7
Any time, any day

Bm7　　　　　　　Esus4　E
You can hear the people say——

B♭7　Am
That love is blind

　　Bm7
Well, I don't know

　　　　　　Cmaj7
But I say love is kind.

‖: G | G :‖
Do do do— do do　do do do.——

Link 1

Verse 2

D6　　　　Cmaj7
Soldier boy kisses girl

Bm7　　　　　　　Esus4　E
Leaves behind a tragic world——

B♭7　Am　　　　Bm7
　But he won't mind, he's in love

　　　　Cmaj7
And he says love is fine.

‖: G | G :‖
Do do do— do do　do do do.——

Link 2

Bridge 1

           Am/D
Oh,——— yes, indeed we know

That people will find a way to go
   G   **G6** **Gmaj7** **G7**
No matter what the man said
    C   **C6**
And love is fine for all we know
    Cmaj7   **C6**
For all we know, our love will grow
G   **G6** **Gmaj7** **G6**
   That's what the man said
                  G6 **Gmaj7** **G6**
So won't you listen to what the man said,——— he said....

Link 3

| **G** | **G** | **G** | **G** ‖
Ah, take it away!

Solo

| **D6** | **Cmaj7** | **Bm7** | **Esus4 E B♭dim** |

| **Am** | **Bm7** | **Cmaj7** | **Cmaj7** ‖

Link 4

| **G** | **G** | **G** | **G** ‖

Bridge 2   As Bridge 1

Link 5

| **G** | **G** | **G** | **G** ‖

Bridge 3   As Bridge 1

Outro

| **G** | **G** | **G** | **G** ‖
   G
The wonder of it all baby, the wonder of it all baby

The wonder of it all baby, yeah, yeah, yeah, yeah.———

| **G** | **G** ‖ **Bm7** | **Em7** | **Bm7** |

| **Em7** | **Bm7** | **Esus4** | **E** ‖

Love Will Tear Us Apart

Words & Music by Ian Curtis, Peter Hook, Bernard Sumner & Stephen Morris

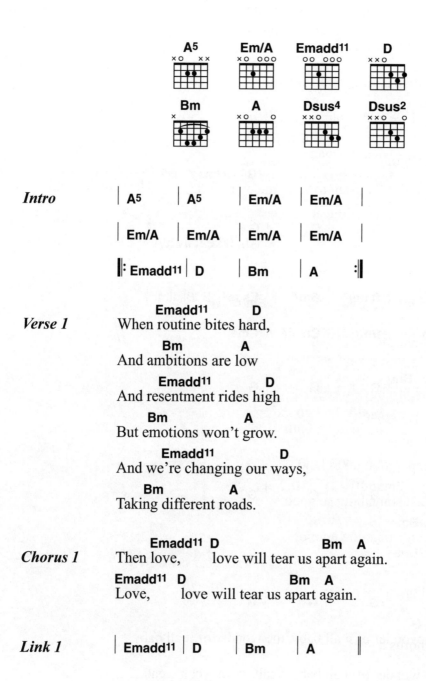

Intro

| A5 | A5 | Em/A | Em/A |

| Em/A | Em/A | Em/A | Em/A |

‖: Emadd11 | D | Bm | A :‖

Verse 1

Emadd11   D
When routine bites hard,

Bm   A
And ambitions are low

Emadd11   D
And resentment rides high

Bm   A
But emotions won't grow.

Emadd11   D
And we're changing our ways,

Bm   A
Taking different roads.

Chorus 1

Emadd11 D   Bm A
Then love,   love will tear us apart again.

Emadd11 D   Bm A
Love,   love will tear us apart again.

Link 1

| Emadd11 | D | Bm | A | ‖

Verse 2

          Emadd11   D
Why is the bedroom so cold?
               Bm   A
You've turned away on your side.
         Emadd11   D
Is my timing that flawed,
        Bm   A
Our respect run so dry?
         Emadd11   D
Yet there's still this appeal
           Bm   A
That we've kept through our lives.

Chorus 2

Emadd11 D   Bm   A
Love,   love will tear us apart again.
Emadd11 D   Bm   A
Love,   love will tear us apart again.

Link 2

‖: Em/A | Em/A | Em/A | Em/A :‖

‖: Emadd11 | D | Bm | Em/A :‖

Verse 3

          Emadd11   D
You cry out in your sleep,
         Bm   A
All my failings exposed.
          Emadd11   D
There's a taste in my mouth
         Bm   A
As desperation takes hold.
          Emadd11   D
Just that something so good
        Bm   A
Just can't function no more.

Chorus 3   As Chorus 2

Chorus 4   As Chorus 2

Link 3

‖: Em/A | Em/A | Em/A | Em/A :‖

Outro

‖: D Dsus4 D | D Dsus2 :‖   *Repeat to fade*

Mad World

Words & Music by Roland Orzabal

F#m   A   E   B   Badd11

Intro   Drums for 4 bars

Verse 1

F#m   A
  All around me are familiar faces,
E   B
Worn out places, worn out faces.
F#m   A
  Bright and early for their daily races,
E   B
Going nowhere, going nowhere.
F#m   A
  And their tears are filling up their glasses,
E   B
No expression, no expression.
F#m   A
  Hide my head I want to drown my sorrow,
E   B
No tommorow, no tommorow.

Prechorus 1

F#m   B
  And I find it kind of funny,
           F#m
I find it kind of sad.

             B
The dreams in which I'm dying
           F#m
Are the best I've ever had.
           B
I find it hard to tell you
           F#m
'Cause I find it hard to take.
           B
When people run in circles

It's a very, very....

Chorus 1

F#m   B   Badd11
Mad World,

F#m   B   Badd11
Mad World.

F#m   B   Badd11
Mad World,

F#m   B   Badd11
Mad World.

Verse 2

F#m   A
Children waiting for the day they feel good,

E   B
Happy Birthday, Happy Birthday!

F#m   A
Made to feel the way that every child should,

E   B
Sit and listen, sit and listen.

F#m   A
Went to school and I was very nervous,

E   B
No one knew me, no one knew me.

F#m   A
'Hello teacher, tell me what's my lesson?'

E   B
Look right through me, look right through me.

Prechorus 2   As Prechorus 1

Chorus 2   As Chorus 1

Instrumental | Badd11 | Badd11 |

‖: F#m | A | E | B   :‖

Prechorus 3   As Prechorus 1

Chorus 3   As Chorus 1

Outro   ‖: Badd11 | Badd11 | Badd11 :‖   **Drums for 2 bars**

The Man Who Sold The World

Words & Music by David Bowie

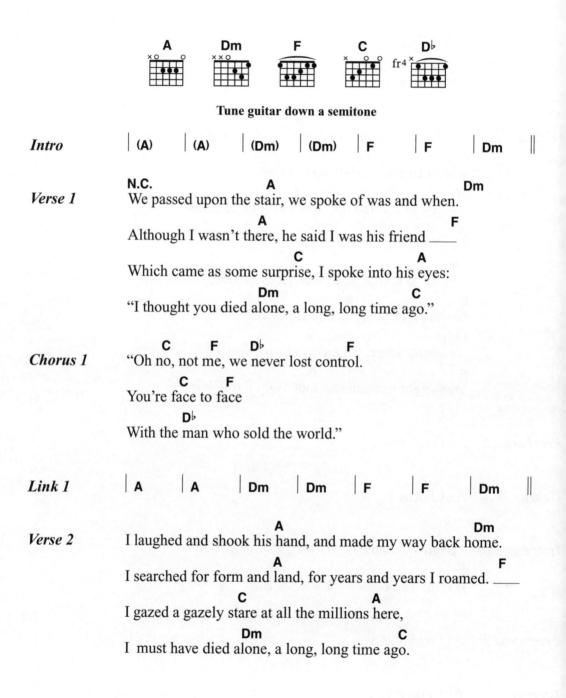

Tune guitar down a semitone

Intro | (A) | (A) | (Dm) | (Dm) | F | F | Dm ‖

Verse 1
N.C.   A   Dm
We passed upon the stair, we spoke of was and when.
                      A   F
Although I wasn't there, he said I was his friend ____
                          C   A
Which came as some surprise, I spoke into his eyes:
                 Dm   C
"I thought you died alone, a long, long time ago."

Chorus 1
       C   F   D♭   F
"Oh no, not me, we never lost control.
       C   F
You're face to face
       D♭
With the man who sold the world."

Link 1 | A | A | Dm | Dm | F | F | Dm ‖

Verse 2
                           A   Dm
I laughed and shook his hand, and made my way back home.
                      A   F
I searched for form and land, for years and years I roamed. ____
                    C   A
I gazed a gazely stare at all the millions here,
                 Dm   C
I must have died alone, a long, long time ago.

Chorus 2

             C   **F**   **D♭**   **F**

"Who knows? Not me, I never lost control.

             C   **F**

You're face to face

             D♭

With the man who sold the world."

Link 2 | **A** | **A** | **Dm** | **Dm**   ‖

Chorus 3

             C   **F**   **D♭**   **F**

"Who knows? Not me, we never lost control.

             C   **F**

You're face to face

             D♭

With the man who sold the world."

Play 3 times

Coda   ‖: **A** | **A** | **Dm** | **Dm** | **F** | **F** | **Dm** | **Dm**   :‖

            | **A** | **A** | **Dm** | **Dm** | **F**   ‖

Love Is The Drug

Words & Music by Bryan Ferry & Andy Mackay

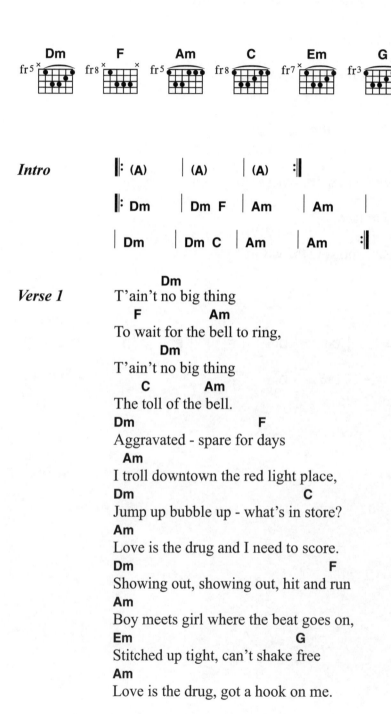

Intro

‖: (A) | (A) | (A)   :‖

‖: Dm | Dm F | Am | Am |

| Dm | Dm C | Am | Am   :‖

Verse 1

       Dm
T'ain't no big thing
   F   **Am**
To wait for the bell to ring,
       Dm
T'ain't no big thing
      C   **Am**
The toll of the bell.
Dm   **F**
Aggravated - spare for days
   Am
I troll downtown the red light place,
Dm   **C**
Jump up bubble up - what's in store?
Am
Love is the drug and I need to score.
Dm   **F**
Showing out, showing out, hit and run
Am
Boy meets girl where the beat goes on,
Em   **G**
Stitched up tight, can't shake free
Am
Love is the drug, got a hook on me.

	Dm F
Chorus 1	Oh, oh catch that buzz

Chorus 1

Dm   F
Oh, oh catch that buzz
Am
Love is the drug I'm thinking of,
Em   G
Oh, oh can't you see
A   (N.C)
Love is the drug for me.

Bridge 1

C   G   F Em Dm C
Ohh -o-o-o
C   G   F Em Dm C
Ohh -o-o-o

Verse 2

Dm   F
Late that night I park my car
Am
Stake my place in the singles bar,
Dm   C
Face to face, toe to toe
Am
Heart to heart as we hit the floor.
Dm   F
Lumber up, limbo down
Am
The locked embrace, the stumble round,
Dm   C
I say go, she say yes
Am
Dim the lights, you can guess the rest.

Chorus 2

    Dm   F
Oh, oh catch that buzz

Am
Love is the drug I'm thinking of,

Dm   **C**
Oh, oh can't you see

Am
Love is the drug, got a hook in me.

Dm   **F**
Oh, oh catch that buzz

Am
Love is the drug I'm thinking of,

Dm   **C**
Oh, oh can't you see

Am
Love is the drug for me.

Bridge 2

Dm   **F Am**
Oh, oh   Oh, oh

Em   **G**   **Am**
Oh, oh   Oh, oh

Dm   **F Am**
Oh, oh   Oh, oh

Em   **G**   **A**
Oh, oh   Oh, oh

Outro

C   **G**   **F Em Dm C**
Ohh -o-o-o

C   **G**
Ohh -o-o-o

F   **Em F**   **Em F**   **Em Dm** **C6**
Love is, love is,   love is   the   drug.

Matinée

Words & Music by Alexander Kapranos, Nicholas McCarthy & Robert Hardy

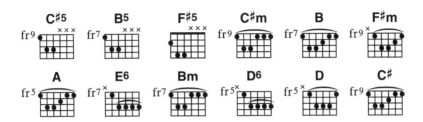

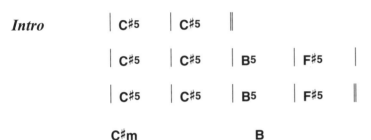

Intro
| C#5 | C#5 ‖

| C#5 | C#5 | B5 | F#5 |

| C#5 | C#5 | B5 | F#5 ‖

Verse 1

    C#m   B
You take your white finger,

F#m   C#m B
Slide the nail under the top and bottom buttons of my blazer.

F#m
Relax the fraying wool, slacken ties,

Pre-chorus 1

               A   E6
And I'm   not to look at you in the shoe,

            Bm   D6
But the eyes, find the eyes.

Chorus 1

Bm   D
Find me and follow me through corridors, refectories and files,

You must follow, leave this academic factory.

           Bm
You will find me in the matinee,

The dark of the matinee.

cont.
       D
It's better in the matinee,

                      A
The dark of the matinee is mine,

           C#m   **B** **F#m**
Yes, it's mine.

Link
| **C#5** | **C#5** | **B5** | **F#5** |

| **C#5** | **C#5** | **B5** | **F#5** ||

Verse 2
  C#m   **B**   **F#m**
  I time every journey   to bump into you, accidentally
   C#m   **B**   **F#m**
I charm you and tell you   of the boys I hate,

All the girls I hate,
A
  All the words I hate,

All the clothes I hate,
F#m
  How I'll never be anything I hate.

Pre-chorus 2
  A   **E6**
  You smile, mention something that you like,
                 Bm   **D6**
Or how you'd have a happy life if you did the things you like.

Chorus 2   As Chorus 1

Verse 3
  C#m   **B**   **F#m**
  So I'm on BBC2 now,

Telling Terry Wogan how I made it and
C#m   **B**   **F#m**
  What I made is un - clear now,

But his deference is and his laughter is.

Pre-chorus 3

      A   E
My words and smile are so easy now,

      Bm
Yes, it's easy now,

      D
Yes, it's easy now.

Chorus 3

Bm   D
Find me and follow me through corridors, refectories and files,

You must follow, leave this academic factory.

      Bm
You will find me in the matinee,

The dark of the matinee.

  D
It's better in the matinee,

The dark of the matinee.

      Bm   D
You will find me and follow me through corridors, refectories and files,

You must follow, leave this academic factory.

      Bm
You will find me in the matinee,

The dark of the matinee.

  D
It's better in the matinee,

                   A
The dark of the matinee is mine.

      C♯m B F♯m C♯
Yes, it's mine.

Metal Guru

Words & Music by Marc Bolan

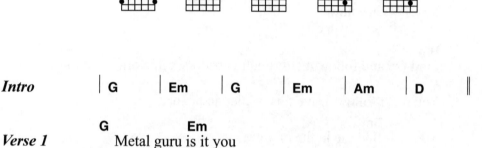

Intro | G | Em | G | Em | Am | D ‖

Verse 1
G   Em
Metal guru is it you

G   Em
Metal guru is it you

Am   D
Sitting there in your armour plated chair oh yeah.

Verse 2
G   Em
Metal guru is it true

G   Em
Metal guru is it true

Am   D
All alone without a telephone oh yeah.

Verse 3
G   Em
Metal guru could it be

G   Em
You're gonna bring my baby to me,

Am
She'll be wild you know

D
A rock and roll child oh yeah.

Verse 4

    G   **Em**
Metal guru has it been

    G   **Em**
Just like a silver-studded sabre-tooth dream,

Am
I'll be clean you know

  D
A washing machine oh yeah.

G   **Em**
Metal guru is it you

G   **Em**
Metal guru is it you?

Bridge | G Am | D/F♯ Em | G Am | D/F♯ Em | Am | D ||

Verse 5   As Verse 3

Verse 6

G   **Em**
Metal guru is it you

G   **Em**
Metal guru is it you

Am   **D**
All alone without a telephone oh.

Verse 7   As Verse 3

Outro

    G   **Em**   **G**
||: Metal guru is it you (yeah yeah yeah)

         Em
Metal guru is it you (yeah yeah yeah) :|| *Repeat to fade*

Monday Monday

Words & Music by John Phillips

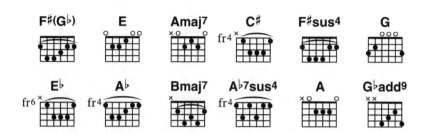

Intro

N.C.
(Ba-dah, ba-dah-da-dah, ba-dah, ba-dah-da-dah.)
F#
    Ba-dah, ba-dah-da-dah.

Verse 1

              F#
Monday Monday, so good to me.

                                E
Monday morning, it was all I hoped it would be.

          Amaj7   C#
Oh Monday morning, Monday morning couldn't guarantee

          F#   F#sus4   F#
That Monday evening you would still be here with me.

Verse 2

Monday Monday, can't trust that day,

                                      E
Monday Monday, sometimes it just turns out that way.

          Amaj7   C#
Oh Monday morning you gave me no warning of what was to be.

          F#   F#sus4   F#
Oh Monday Monday, how could you leave and not take me?

Bridge 1

G
Every other day (every other day), every other day,

                             E
Every other day of the week is fine, yeah.

G
But whenever Monday comes (but whenever Monday comes)

                                           F#   E♭
But whenever Monday comes you can find me crying all of the time.

Verse 3

               A♭
Monday Monday, so good to me.

                                          G♭
Monday morning, it was all I hoped it would be.

              Bmaj7   **E♭**
But Monday morning, Monday morning couldn't guarantee

              A♭   **A♭sus4**   **A♭**
That Monday evening you would still be here with me.

Bridge 2

              A
Every other day (every other day), every other day,

                           F♯
Every other day of the week is fine, yeah.

              A
But whenever Monday comes (but whenever Monday comes)

But whenever Monday comes

              E♭   **A♭**   **G♭add9**
You can find me crying all of the time. _____

Verse 4

              N.C.   **A♭**
Monday Monday, can't trust that day,

Monday Monday, it just turns out that way.

Monday Monday, won't go away.

Monday Monday, it's here to stay.
                                Fade out

Mis-Shapes

Words by Jarvis Cocker
Music by Pulp

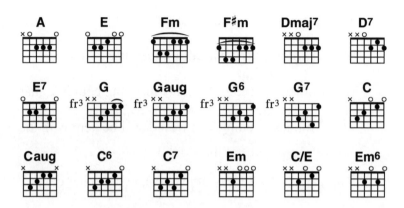

Verse 1

A
Mis-shapes, mistakes, misfits,

E   Fm
Raised on a diet of broken biscuits, oh,

F#m
   We don't look the same as you,

Dmaj7
   And we don't do the things you do,

    D7
But we live 'round here too, oh really.

Verse 2

A
Mis-shapes, mistakes, misfits,

         E   Fm
We'd like to go to town but we can't risk it, oh,

F#m
   'Cause they just want to keep us out,

Dmaj7
   You could end up with a smack in the mouth

D7
Just for standing out, now really.

```
 A                        E⁷
Brother, sisters, can't you see

              E              Fm  F♯m
The future's owned by you and me?

                          Dmaj⁷
There won't be fighting in the street,


They think they've got us beat,

         D⁷                              G
But revenge is going to be so sweet, oh. ____
```

Chorus 1
```
 (G)            Gaug                 G6
We're making a move, we're making it now,

                G⁷
We're coming out of the sidelines.

 C            Caug            C6
  Just put your hands up, it's a raid, yeah.

 C⁷            Em                 C/E
  We want your homes, we want your lives,

             Em6                 C/E
We want the things you won't allow us,

             Em               C/E
We won't use guns, we won't use bombs,

             Em6              C/E
We'll use the one thing we've got more of,

             Em
That's our minds.
```

Verse 3
```
 A
Check your lucky numbers,

 E                              Fm
That much money could drag you under, oh,

 F♯m
  What's the point of being rich

 Dmaj⁷
If you can't think what to do with it,

       D⁷
'Cause you're so bleeding thick.


 A                        E⁷
  Oh, we weren't supposed to be,

             E
We learnt too much at school,

 Fm   F♯m
Now we can't help but see

       Dmaj⁷
The future that you've got mapped out

   D⁷                              G
Is nothing much to shout about, oh.
```

Chorus 2   As Chorus 1

Instrumental E | E   ‖

A | A | E | E   Fm | F#m |

F#m | Dmaj7 | Dmaj7 | D7 | D7   ‖

Verse 4
    A   **E7**
  And brother, sisters, can't you see

               E   **Fm F#m**
The future's owned by you and me?

                                   Dmaj7
There won't be fighting in the street,

They think that they've got us beat,

          D7   **G**
But revenge is going to be so sweet.

Chorus 2
                 Gaug   **G6**
We're making a move, we're making it now,

               G7
We're coming out of the sidelines.

C   **Caug**   **C6**
  Just put your hands up, it's a raid, yeah.

C7   **Em**   **C/E**
  We want your homes, we want your lives,

           Em6   **C/E**
We want the things you won't allow us,

         Em   **C/E**
We won't use guns, we won't use bombs,

         Em6   **C/E**
We'll use the one thing we've got more of,

        Em   **C/E**   **Em6** **C/E**
That's our minds, _____ yeah.

          Em   **C/E**   **Em6** **C/E** **A**
And that's our minds, _____ yeah.

Motorcycle Emptiness

Words by Nicky Wire & Richey Edwards
Music by James Dean Bradfield & Sean Moore

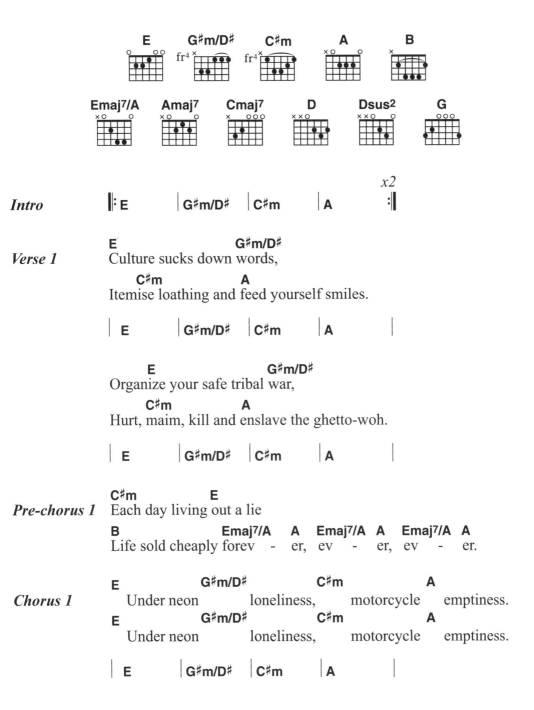

Intro
‖: E | G#m/D# | C#m | A :‖ *x2*

Verse 1

E   G#m/D#
Culture sucks down words,
    C#m   A
Itemise loathing and feed yourself smiles.

| E | G#m/D# | C#m | A |

          E   G#m/D#
Organize your safe tribal war,
        C#m   A
Hurt, maim, kill and enslave the ghetto-woh.

| E | G#m/D# | C#m | A |

Pre-chorus 1

C#m   E
Each day living out a lie
B   Emaj7/A   A Emaj7/A   A Emaj7/A A
Life sold cheaply forev - er, ev - er, ev - er.

Chorus 1

    E   G#m/D#   C#m   A
Under neon   loneliness,   motorcycle   emptiness.
    E   G#m/D#   C#m   A
Under neon   loneliness,   motorcycle   emptiness.

| E | G#m/D# | C#m | A |

Verse 2

      E   G#m/D#
Life lies a slow suicide,

     C#m   A
Orthodox dreams and symbolic myths.

| E | G#m/D# | C#m | A | |

      E   G#m/D#
From feudal serf to spender,

     C#m   A
This wonderful world of purchase power.

| E | G#m/D# | C#m | A | |

Pre-chorus 2

C#m   E
Just like lungs sucking on air

   B   Emaj7/A A   Emaj7/A A   Emaj7/A A
Survival's natural sor - row, sor - row, sor - row.

Chorus 2

E   G#m/D#   C#m   A
  Under neon   loneliness,   motorcycle   emptiness.
E   G#m/D#   C#m   A
  Under neon   loneliness,   motorcycle   emptiness.

Instrumental

| Amaj7 | B | Amaj7 | B | Cmaj7 | D | Cmaj7 | D | |

Middle

Amaj7   B   Amaj7   B
All we want from you are the kicks you've given us
Cmaj7   D   Cmaj7   Dsus2
All we want from you are the kicks you've given us.

Chorus 3

E   G#m/D#   C#m   A
  Under neon   loneliness,   motorcycle   emptiness.

Instrumental

| E | G | A | E | |

| E | G | A | A | |

Verse 3
```
          E                    G♯m/D♯
          Drive away and it's the same
               C♯m                A
          This happiness corrupt political shit.
```

Pre-chorus 3
```
          C♯m               E
          Living life like a comatose
          B              Emaj7/A  A   Emaj7/A   A   Emaj7/A   A
          Ego loaded and swal  -  low, swal  -  low, swal  -  low.
```

Chorus 4
```
          E           G♯m/D♯          C♯m              A
            Under neon        loneliness,   motorcycle   emptiness.
          E           G♯m/D♯          C♯m              A
            Under neon        loneliness,   everlasting   nothing else.
```

Outro
```
                                               x2
          ‖: E      |G♯m/D♯  |C♯m      |A      :‖

          | E         ‖
```

My Brother Jake

Words & Music by Paul Rodgers & Andy Fraser

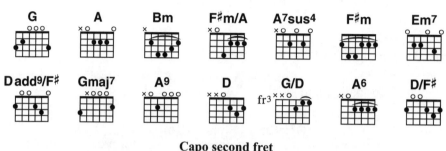

Capo second fret

Verse 1

<pre>
        G   A   Bm F♯m/A
My brother Jake:

A⁷sus⁴
Hat, shades, head in a daze.

        G   A   Bm F♯m/A
My brother Jake,

               A⁷sus⁴
Have you thought about changing your ways?
                F♯m   Bm
He goes out, he don't have no doubts,
                        Em⁷   Dadd⁹/F♯ Gmaj⁷
You don't have to know _____
              A⁹   D
What the world's about.
</pre>

Verse 2

<pre>
        G   A   Bm F♯m/A
My brother Jake:

A⁷sus⁴
Head down, it's a-scraping the ground.
        G   A   Bm F♯m/A
Jake, stay away; ____
              A⁷sus⁴
You know you can't always be down.
                F♯m   Bm
He goes out, he don't have no doubts,
                        Em⁷   Dadd⁹/F♯ Gmaj⁷
You don't have to know _____
              A⁹   D
What the world's about.
</pre>

Bridge 1

        G/D   D
I said "Jake,

               G/D   **D   Bm A**
Now won't you wait, what's got into you?

    G/D   D   **G/D**   **D**
The kettle is burning, the wheels are turning,

A⁹   **D**
  What you gonna do?"

Verse 3

G A   **Bm F♯m/A**
My brother Jake,

        A⁷sus⁴
Won't you start again, try making some friends?

G   **A**   **Bm F♯m/A**
Jake, it's not too late ____

    A⁷sus⁴
To start again, try making amends.

     F♯m   **Bm**
He goes out, he don't have no doubt,

               Em⁷   **Dadd⁹/F♯ Gmaj⁷**
You don't have to know _____

       A⁹   **D**
What the world's about.

Bridge 2

       G/D   **D**
‖: I said "Jake, ____

         G/D
Now won't you wait? ____

                 D   Bm A
What's gone wrong with you?

    G/D   **D**   **G/D**   **D**
The kettle is burning, the wheels are turning,

A⁹   **D**
  What you gonna do?"   :‖

Bridge 3

       G/D   **D**
I said "Jake, Jake, Jake,

         G/D   **D Bm A**
Won't you wait, wait, wait, what's got into you?

    G/D   **D**   **G/D**   **D**
The kettle is burning, the wheels of time are turning,

A⁹   **D**
  What you gonna do? Listen:"

Coda

           Bm   **A⁶**   **Gmaj⁷**   **D/F♯**
"I'm gonna make you, Jake,   because you've got what it takes

        Em⁷   **D**
To give a whole lotta people some soul."

My Favourite Game

Words by Nina Persson
Music by Peter Svensson

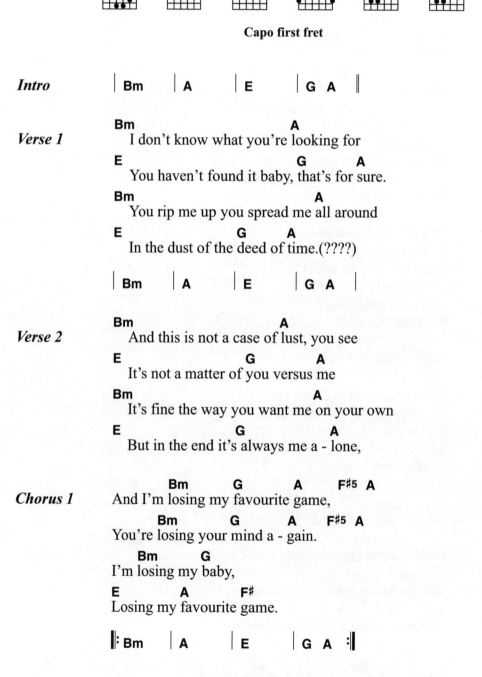

Capo first fret

Intro
| Bm | A | E | G A ‖

Verse 1

Bm   A
I don't know what you're looking for

E   G   A
You haven't found it baby, that's for sure.

Bm   A
You rip me up you spread me all around

E   G   A
In the dust of the deed of time.(????)

| Bm | A | E | G A |

Verse 2

Bm   A
And this is not a case of lust, you see

E   G   A
It's not a matter of you versus me

Bm   A
It's fine the way you want me on your own

E   G   A
But in the end it's always me a - lone,

Chorus 1

                    Bm   G   A   F#5 A
And I'm losing my favourite game,

              Bm   G   A   F#5 A
You're losing your mind a - gain.

          Bm   G
I'm losing my baby,

E   A   F#
Losing my favourite game.

‖: Bm | A | E | G A :‖

Verse 3

Bm   A
I only know what I've been working for
E   G   A
Another you so I could love you more,
Bm   A
I really thought that I could take you there,
E   G   A
But my experiment is not getting us anywhere.

| Bm | A | E | G A ‖

Verse 4

Bm   A
I had a vision I could turn you right
E   G   A
A stupid mission and a lethal fight
Bm   A
I should have seen it when my hope was new
E   G   A
My heart is black and my body is blue,

Chorus 2

        Bm   G   A   F♯5 A
And I'm losing my favourite game,
           Bm   G   A   F♯5 A
You're losing your mind a - gain.
      Bm   G   A   F♯5 A
I'm losing my favourite game,
          Bm   G   A   F♯5 A
You're losing your mind a - gain.
      Bm   G   E   A   F♯
I'm losing my baby, losing my favourite game.

‖: Bm | A | E | G A :‖

     Bm
I'm losing my favourite game,

You're losing your mind again.

I've tried but you're still the same,
          G
I'm losing my baby
      E   A   F♯
You're losing a saviour and a saint.

Outro   ‖: Bm | A | E | G A :‖

     | E | G A | E | G A |

No More Heroes

Words & Music by Jean-Jacques Burnel, Jet Black, Hugh Cornwell & David Greenfield

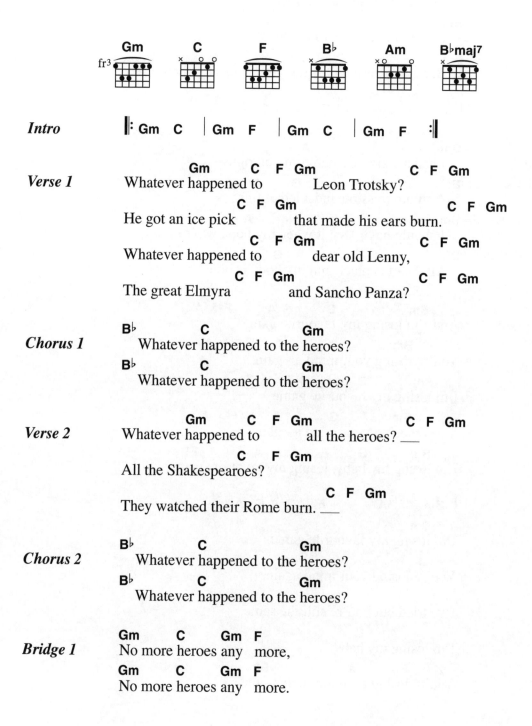

Intro ‖: Gm C │ Gm F │ Gm C │ Gm F :‖

Verse 1

         Gm   C F Gm   C F Gm
Whatever happened to   Leon Trotsky?

                C F Gm   C F Gm
He got an ice pick   that made his ears burn.

                C F Gm   C F Gm
Whatever happened to   dear old Lenny,

                C F Gm   C F Gm
The great Elmyra   and Sancho Panza?

Chorus 1

B♭   C   Gm
  Whatever happened to the heroes?

B♭   C   Gm
  Whatever happened to the heroes?

Verse 2

         Gm   C F Gm   C F Gm
Whatever happened to   all the heroes? ___

                C   F Gm
All the Shakespearoes?

                         C F Gm
They watched their Rome burn. ___

Chorus 2

B♭   C   Gm
  Whatever happened to the heroes?

B♭   C   Gm
  Whatever happened to the heroes?

Bridge 1

Gm   C   Gm   F
No more heroes any more,

Gm   C   Gm   F
No more heroes any more.

Guitar solo ‖: Gm Am │ B♭ C :‖: Gm Am │ B♭ Am :‖

‖: Gm Am │ B♭ F :‖: Gm C │ Gm F :‖

Keyboard solo ‖: B♭ │ C │ B♭maj7 │ C :‖ *Play 5 times*

│ Gm C │ Gm F │ Gm C │ Gm F ‖

                   Gm   C F Gm   C F Gm

Verse 3 Whatever happened to   all of the heroes? ___

                                C   F Gm

All the Shakespearoes?

                                       C F Gm

They watched their Rome burn. ___

               B♭   C   Gm

Chorus 3 Whatever happened to the heroes?

               B♭   C   Gm

        Whatever happened to the heroes?

             Gm   C   Gm F

Bridge 2 No more heroes any more,

             Gm   C   Gm F

        No more heroes any more,

             Gm   C   Gm F

        No more heroes any more,

             Gm   C   Gm F

        No more heroes any more,

Coda ‖: Gm │ Gm │ Gm │ Gm :‖ *Play 3 times*

Mr. Jones

Words & Music by Adam Duritz, David Bryson, Matthew Malley,
Steve Bowman & Charles Gillingham

Am   F   Dm   G   Gsus4   Fsus2   Fmaj7

Intro | Am | F | Dm | G | Am | F | G | G |

Verse 1

Am   F
I was down at the New Amsterdam

Dm   G
Staring at this yellow-haired girl,

   Am   F   G
Mr. Jones strikes up a conversation with a black-haired flamenco dancer

          Am   F   Dm
You know she dances while his father plays guitar

           G
She's suddenly beautiful.

     Am   F
And we all want something beautiful

G
Man, I wish I was beautiful.

Verse 2

    Am   F
So come dance this silence down through the morning,

Dm   G   Am   F
Sha la la la la la la la, yeah.

G
Uh huh, yeah.

Am   F
Cut up, Maria!

Dm   G   Am
Show me some of them Spanish dances, and

        F   G
Pass me a bottle, Mr. Jones.

Am   F
Believe in me,

Dm   G
Help me believe in anything,

     Am   F   G
'Cause I wanna be someone who believes, yeah.

Chorus 1

C   F   G   Gsus4
   Mr. Jones and me   tell each other fairy tales

G   C   F   Fsus2
And we stare at the beautiful women.

  F   G   C
"She's looking at you. Ah no, no, she's looking at me."

               F   Fsus2 F
Smiling in the bright lights,

G   Gsus4
   Coming through in stereo.

G   C   Fsus2 F   G
When everybody loves you,   you can never be lonely.

Verse 3

      Am   F
Well I'm gonna paint my picture,

Dm   G   Am
   Paint myself in blue and red and black and grey,

                  F   G
All of the beautiful colours are very, very meaningful.

                 Am   F
Yeah well you know grey is my favourite colour,

   Dm   G
I   felt so symbolic, yesterday,

Am   F
   If I knew Picasso,

        G   C
I would buy myself a grey guitar and play.

Chorus 2

     F   G   Gsus4
Mr. Jones and me   look into the future,

G   C   F   Fsus2
Yeah, we stare at the beautiful women,

 F   G   C
"She's looking at you. I don't think so. She's looking at me."

               F   Fsus2 F
Standing in the spotlight,

G   Gsus4
   I bought myself a grey guitar.

G   C   F   G   Am
When everybody loves me,   I will never be lonely.

Middle

Fmaj7
I will never be lonely,

                  Am   **G**
Said I'm never gonna be, lonely.

Am
  I wanna be a lion,

Fmaj7
And everybody wants to pass as cats,

Am
  We all want to be big, big stars, yeah but

G
  We got different reasons for that.

Am   **Fmaj7**
  Believe in me, because I don't believe in anything

      Am   **G**
And I, I wanna be someone to believe,   to believe, to believe, yeah.

Chorus 3

C   **F**   **G**   **Gsus4**
  Mr. Jones and me   stumbling through the barrio

G   **C**   **F**
Yeah, we stare at the beautiful women,

      G   **C**
"She's perfect for you, man, there's got to be somebody for me."

                 F   **Fsus2**
I want to be Bob Dylan,

F   **G**   **Gsus4 G**
Mr. Jones wishes he was someone just a little more   funky

C   **F**   **Fsus2 F G**
And then everybody loves you,   oh son,

That's just about as funky as you can be.

Chorus 4

C   **F**   **Fsus2 F** **Gsus4 G**   **Gsus4**
  Mr. Jones and   me   staring at the video,

G   **C**   **F**   **Fsus2 F**   **G**
When I look at the television I   want to see me staring

Right back at me.

C   **F** **Fsus2 F**   **G**
  We all want to be big stars,   but we don't know why and we

Don't know how

          C   **F**   **Fsus2**
But when everybody loves me

F   **G**
I wanna be just about as happy as I can be.

C   **F**   **G**
  Mr. Jones and me: we're gonna be big stars.

No One Knows

Words & Music by Josh Homme, Nick Oliveri & Mark Lanegan

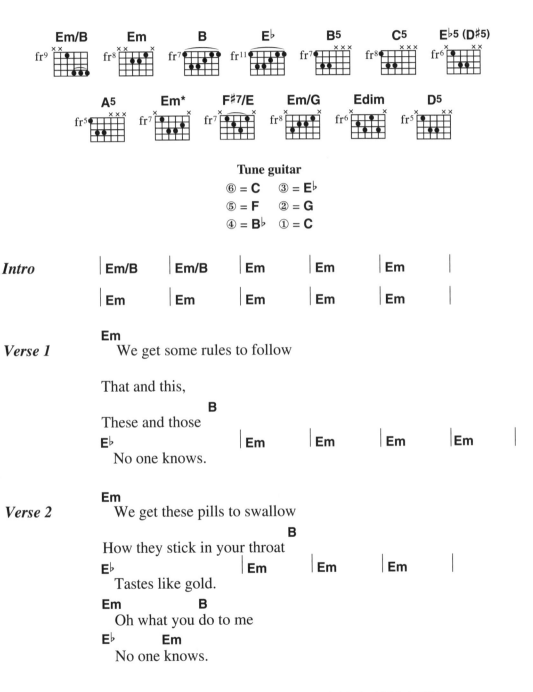

Tune guitar

⑥ = C   ③ = E♭
⑤ = F   ② = G
④ = B♭   ① = C

Intro | Em/B | Em/B | Em | Em | Em |

| Em | Em | Em | Em | Em |

Verse 1

Em
We get some rules to follow

That and this,
                                    B
These and those
E♭ | Em | Em | Em | Em |
   No one knows.

Verse 2

Em
We get these pills to swallow
                                            B
How they stick in your throat
E♭ | Em | Em | Em |
   Tastes like gold.
Em   B
   Oh what you do to me
E♭   Em
   No one knows.

Chorus 1

N.C.   **B5**
I realise you're mine

N.C.   **B5**
Indeed a fool of mine

N.C.   **B5**
I realise you're mine

N.C.   **B5**
Indeed a fool am I, ah._____

Link | **Em** | **Em** | **Em** | **Em** |

Verse 3

Em
   I journey through the desert
                   B
Of the mind with no hope
E♭   **Em**
 I follow.

Verse 4

Em
   I drift along the ocean
              B
Dead lifeboats in the sun
E♭   **Em**
 And come undone.
       B
Pleasantly caving in
E♭   **Em**
 I come undone.

Chorus 2

N.C.   **B5**
I realise you're mine

N.C.   **B5**
Indeed a fool of mine

N.C.   **B5**
I realise you're mine

N.C.   **B5**
Indeed a fool am I, ah._____

Interlude

                                                x2
‖: **E5** | **E5** | **E5** | **B5 C5 E♭5 B5 A5 B5** :‖
                           x3
‖: **B5 C5 E♭5 B5 A5 B5** :‖

Bass solo	N.C. (E5)	(E5)	(E5)	(E5)		

Guitar solo	Em*	Em*	A5	B5	Em*	F#7/E	
	Em/G	Edim	Em*	F#7/E	D5	D#5	

Bass	E* (bass)	E* (bass)	E* (bass)	E* (bass)

Verse 5

E* (bass)
   Heaven smiles above me
Em   B
   What a gift here below
E♭   Em
   But no one knows.
               B
Gift that you give to me
E♭   Em
   No one knows.

Outro	Em	Em	Em	

One Way

Words & Music by Jonathan Sevink, Charles Heather, Simon Friend,
Jeremy Cunningham & Mark Chadwick

Bm   D   E5   A   G   G*   F

Chorus 1

Bm D E5   A   G
There's only one way of life, and that's your own,

D   A
Your own, your own.

Instrumental 1 ‖: D | D | F | G* :‖

Verse 1

D
My father, when I was younger, took me up onto the hill

F   G*
That looked down on the city smog above the factory spill.

D
He said, "Now this is where I come when I want to be free."

F   G*
Well he never was in his lifetime, but these words stuck with me. Hey

Instrumental 2 ‖: D | D | F | G* :‖

Verse 2

D
And so I ran from all of this, and climbed the highest hill,

F   G*
And I looked down onto my life above the factory spill,

D
And I looked down onto my life as the family disgrace,

F   G*
Then all my friends on the starting line their wages off to chase,

F   G*
Yes, and all my friends and all their jobs and all the bloody waste.

Chorus 2

Bm D E5   A   G
There's only one way of life, and that's your own,

D   A
Your own, your own,

Bm D E5   A   G
There's only one way of life, and that's your own,

D   A
Your own, your own.

Verse 3
                    D
Well, well, well I grew up, learned to love and laugh,

Circled as on the underpass,
          F
But the noise we thought would never stop,
G*
Died a death as the punks grew up.
         D
And we choked on our dreams, we wrestled with our fears,
         F
We're running through the heartless concrete streets,
G*
Chasing our ideas. Run!

Instr. 4   ‖: **D** | **D** | **F** | **G***   :‖

                  D
Verse 4   And all the problems of this world won't be solved by this guitar
            F   **G***
And they won't stop coming either, by the life I've had so far.
            D
And the bright lights of my home town

Won't be getting any dimmer,
            F   **G***
Though their calling has receded like some old distant singer,
            F   **G***
And they don't look so appealing to the eyes of this poor sinner.

Chorus 3   As Chorus 2

Chorus 4   As Chorus 2

                  Bm
That's your own.

Pick A Part That's New

Words by Kelly Jones
Music by Kelly Jones, Richard Jones & Stuart Cable

A   D   E   Asus2   Dsus2   Dm6 fr5   Dm fr5

Intro | A | D | A | D |

| A | D | E | E   D ||

Verse 1

Asus2
I've never been here before,

                Dsus2
Didn't know where to go,

Never met you before.

Asus2
I've never been to your home,

           Dsus2
That smell's not unknown,

        E
Footsteps made of stone.

          D
Walking feels familiar.

Chorus 1

Asus2   Dsus2
You can do all the things that you'll like to do,

Asus2   Dsus2
All around, underground, pick a part that's new.

Asus2   Dsus2
You can do all the things that you'll like to do,

Asus2   Dsus2   E   D
All around, upside down, pick a part that's new.

Verse 2

Asus²
People drinking on their own,

                Dsus²
Push buttons on the phone,

Was I here once before?

Asus²
Is that my voice on the phone?

                Dsus²
That last drink on my own.

             E
Did I ever leave at all?

             D
Confusion's familiar.

Chorus 2　　　As Chorus 1

Solo　　　‖: A　　|　A　　|　Dm⁶ Dm | Dm⁶ Dm :‖

       | E　　| E　　D　‖

Chorus 3

Asus²　　　　　　　　Dsus²
You can do all the things that you'll like to do,

Asus²　　　　　　　Dsus²
All around, underground, pick a part that's new.

Asus²　　　　　　　　Dsus²
You can do all the things that you'll like to do,

Asus²　　　　　　　　Dsus²
All around, upside down, anything that's new.

Chorus 4

Asus²　　　　　　　　Dsus²
You can do all the things that you'll like to do,

Asus²　　　　　　　Dsus²
All around, underground, pick a part that's new.

Asus²　　　　　　　　Dsus²
You can do all the things that you'll like to do,

Asus²　　　　　　　Dsus²　　　　E
All around, upside down, pick a part that's new.

Coda

E
So what's new to you?

So what's new to you?

            D　A
What's new to you?

Pictures Of Lily

Words & Music by Pete Townshend

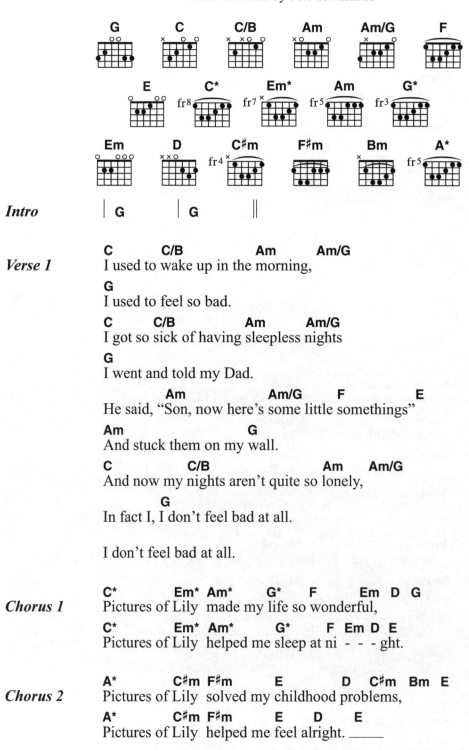

Intro | G | G ||

Verse 1
C   C/B   Am   Am/G
I used to wake up in the morning,

G
I used to feel so bad.

C   C/B   Am   Am/G
I got so sick of having sleepless nights

G
I went and told my Dad.

                Am   Am/G   F   E
He said, "Son, now here's some little somethings"
Am   G
And stuck them on my wall.

C   C/B   Am   Am/G
And now my nights aren't quite so lonely,

            G
In fact I, I don't feel bad at all.

I don't feel bad at all.

Chorus 1
C*   Em* Am*   G*   F   Em D G
Pictures of Lily made my life so wonderful,
C*   Em* Am*   G*   F Em D E
Pictures of Lily helped me sleep at ni - - - ght.

Chorus 2
A*   C#m F#m   E   D C#m Bm E
Pictures of Lily solved my childhood problems,
A*   C#m F#m   E   D   E
Pictures of Lily helped me feel alright. _____

Bridge

```
E  D  E
          Pictures of Lily.
E  D  E
          Lily, oh Lily.
A* G* A*
          Lily, oh Lily.
A* G* A*
          Pictures of Lily.
```

Link

```
| D   C   D | D   C   D | G*  F   G* | G*           ||
```

Verse 2

```
C          C/B            Am    Am/G
And then one day things weren't quite so fine:
G
I fell in love with lily.
C          C/B            Am    Am/G
I asked my Dad where Lily I could find?
           G
He said, "Son, now don't be silly,
Am      Am/G              F      E
She's been dead since nineteen twenty-nine.
Am             G
Oh, how I cried that night.
C     C/B           Am    Am/G
If only I'd been born in Lily's time
G
It would've been alright.
```

Chorus 3

```
C*        Em* Am*    G*    F      Em  D  G
Pictures of Lily  made my life so wonderful,
C*        Em* Am*      G*     F Em D  E
Pictures of Lily  helped me sleep at ni - - -ght.
```

Coda

```
A*        C#m     F#m   E    D   C#m Bm E
For me and Lily are together in my dreams,
A*    C#m       F#m           E   D
And I ask you, hey Mister have you ever seen
E        D  E
Pictures of Li - ly?
```

Presence Of The Lord

Words & Music by Eric Clapton

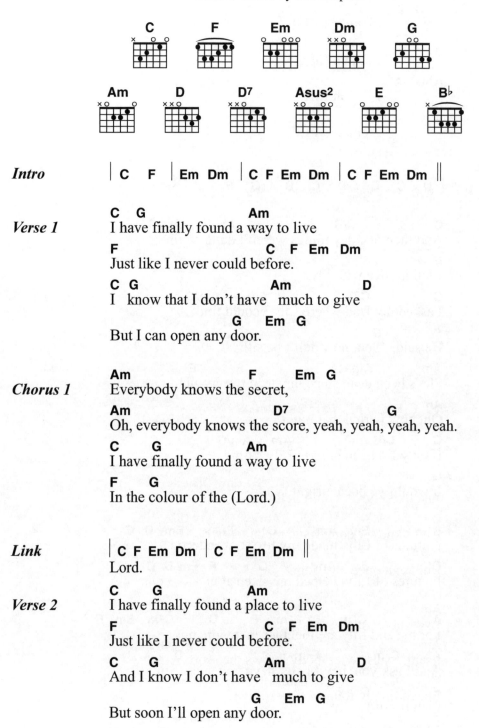

Intro | C   F | Em   Dm | C F Em Dm | C F Em Dm ||

Verse 1
```
C   G                   Am
I have finally found a way to live
F                        C  F  Em  Dm
Just like I never could before.
C   G                   Am            D
I   know that I don't have   much to give
                    G   Em  G
But I can open any door.
```

Chorus 1
```
Am                      F     Em  G
Everybody knows the secret,
Am                      D7              G
Oh, everybody knows the score, yeah, yeah, yeah, yeah.
C     G             Am
I have finally found a way to live
F     G
In the colour of the (Lord.)
```

Link | C F Em Dm | C F Em Dm ||
Lord.

Verse 2
```
C   G                   Am
I have finally found a place to live
F                        C  F  Em  Dm
Just like I never could before.
C   G                   Am            D
And I know I don't have   much to give
                    G   Em  G
But soon I'll open any door.
```

Chorus 2

```
Am                      F       Em  G
Everybody knows the secret,
Am                          D7      G
Oh, everybody knows the score, _____
C     G
I have finally found a place to live
F     G              C    F  Em  Dm  C
In the presence of the Lord,
F     Em          Asus2
In the presence of the Lord.
```

Link

| N.C. | N.C. | N.C. | N.C. ‖

Instrumental

```
‖: Am   |  Am   |  Am   |  Am   :‖

   | D7   | D7   | D7   | D7   |

   | E    | E    | E    | E    |

   | C    | C    | B♭   | G    ‖
```

Link

| C F Em Dm | C F Em Dm ‖

Verse 3

```
C     G            Am
I have finally found a way to live
                    C   F  Em  Dm
Just like I never could before.
C                   Am            D
And I know I don't have much to give
                    G   Em  G
But I can open any door.
```

Chorus 3

```
Am                      F       Em  G
Everybody knows the secret,
Am                              D7     G
I said, 'cause everybody knows the score. ____
C     G            Am
I have finally found a way to live
F     G              C    F  Em  Dm  C
In the colour of the Lord,
F     Em    Dm      C    F  Em  Dm | C
In the colour of the Lord.
```

Private Investigations

Words & Music by Mark Knopfler

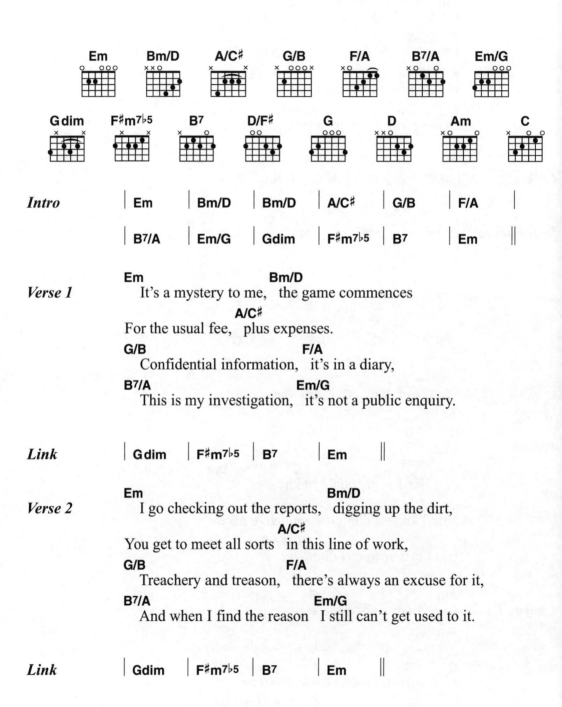

Intro

| Em | Bm/D | Bm/D | A/C♯ | G/B | F/A | |
| B7/A | Em/G | Gdim | F♯m7♭5 | B7 | Em | ‖ |

Verse 1

Em   Bm/D
 It's a mystery to me, the game commences
         A/C♯
For the usual fee, plus expenses.
G/B   F/A
 Confidential information, it's in a diary,
B7/A   Em/G
 This is my investigation, it's not a public enquiry.

Link

| Gdim | F♯m7♭5 | B7 | Em | ‖ |

Verse 2

Em   Bm/D
 I go checking out the reports, digging up the dirt,
         A/C♯
You get to meet all sorts in this line of work,
G/B   F/A
 Treachery and treason, there's always an excuse for it,
B7/A   Em/G
 And when I find the reason I still can't get used to it.

Link

| Gdim | F♯m7♭5 | B7 | Em | ‖ |

Bridge

D/F♯ G
         And what have you got

D
At the end of the day?

Am
What have you got

Em   **D/F♯**
To take away?

G
A bottle of whisky,

D
And a new set of lies,

C
Blinds on the window

    B7
And a pain behind your eyes.

Solo

| Em | Bm/D | Bm/D | A/C♯ | G/B | F/A |
| B7/A | Em/G | Gdim | F♯m7♭5 | B7 | Em ‖ |

Verse 3

Gdim
Scarred for life,

F♯m7♭5
No compensation,

B7
Private investigation.

Coda   **Em** *Ad lib. to fade*

Psycho Killer

Words & Music by David Byrne, Chris Frantz & Tina Weymouth

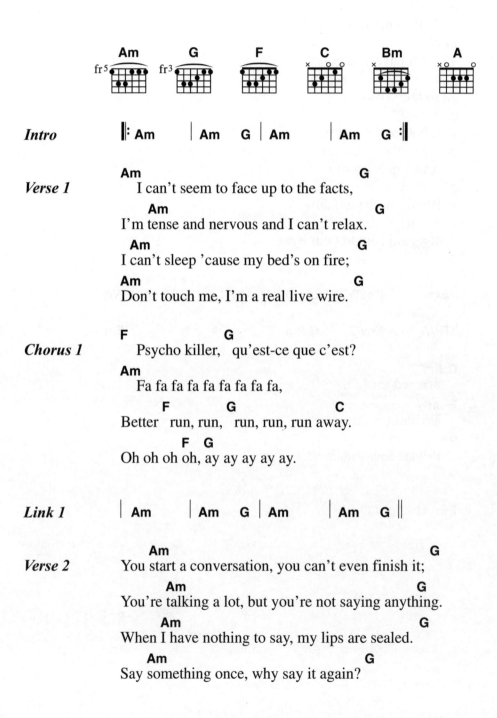

Intro

‖: Am | Am G | Am | Am G :‖

Verse 1

Am   G
I can't seem to face up to the facts,

     Am   G
I'm tense and nervous and I can't relax.

     Am   G
I can't sleep 'cause my bed's on fire;

Am   G
Don't touch me, I'm a real live wire.

Chorus 1

F   G
Psycho killer,   qu'est-ce que c'est?

Am
Fa fa fa fa fa fa fa fa fa,

         F   G   C
Better run, run,   run, run, run away.

           F G
Oh oh oh oh, ay ay ay ay ay.

Link 1

| Am | Am G | Am | Am G ‖

Verse 2

     Am   G
You start a conversation, you can't even finish it;

     Am   G
You're talking a lot, but you're not saying anything.

       Am   G
When I have nothing to say, my lips are sealed.

       Am   G
Say something once, why say it again?

Chorus 2

    F   **G**
    Psycho killer,   qu'est-ce que c'est?

Am
    Fa fa fa fa fa fa fa fa fa,

          F   **G**   **C**
Better run, run, run, run, run away. Oh oh oh.

Chorus 3

    F   **G**
    Psycho killer,   qu'est-ce que c'est?

Am
    Fa fa fa fa fa fa fa fa fa,

          F   **G**   **C**
Better run, run, run, run, run away.

            F G
Oh oh oh oh, ay ay ay ay ay.

Bridge

    Bm   **G**
    Ce que j'ai fait, ce soir la.

    Bm   **G**
    Ce qu'elle a dit, ce soir la.

    A
    Realisant mon espoir.

    G
    Je me lance, vers la gloire.

     A   **G**
Okay. ____

    A   **G**
    Ay ay ay ay ay ay ay ay.

    A   **G**
    We are vain and we are blind.

    A   **G**
    I hate people when they're not polite.

Chorus 4   As Chorus 3

Link 2 | Am | Am   G | Am | Am   G ‖

Coda | Drums | Drums | Am | Am   G | Am | Am   G |

        | Drums | Am | Am   G | Am | Am   G |

        | Drums | Drums | A | A   G | A | A   G |

        | A | A   G | A | A   G | A   ‖

169

Red, Red Wine

Words & Music by Neil Diamond

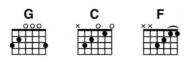

Verse 1

```
      G      C F
Red, red wine
   G             C F
   Goes to my head,
   G              C        F
   Makes me forget that I,
   G
   Still need her so.
```

Verse 2

```
   F G      C F
Red, red wine
   G         C F
   It's up to you.
   G         C           F
   All I can do, I've done,
   G
   Memories won't go,
   F       G        C F
   Memories won't go.
```

Middle 1

```
   G                      C
   I'd have thought that with time,
F                         C
Thoughts of you'd leave my head.
      G         C
I was wrong; now I _ find
           F            G
Just one thing makes me forget.
```

Verse 3

              C F
Red, red wine

    G   C   F
   Stay closc to me; ___

    G   C   F
   Don't let me be alone.

    G
   It's tearing apart

    F   G
   My blue, blue heart.

Instrumental | C   F | G | C   F | G |

Middle 2

    G   C
   I'd have thought that with time,

    F   C
Thoughts of you'd leave my head.

        G   C
I was wrong; now I __ find

          F   G
Just one thing makes me forget.

Verse 4

              C F
Red, red wine

    G   C   F
   Stay close to me; ___

    G   C   F
   Don't let me be alone.

    G
   It's tearing apart

    F   G
   My blue, blue heart.

Nothing Else Matters

Words & Music by James Hetfield & Lars Ulrich

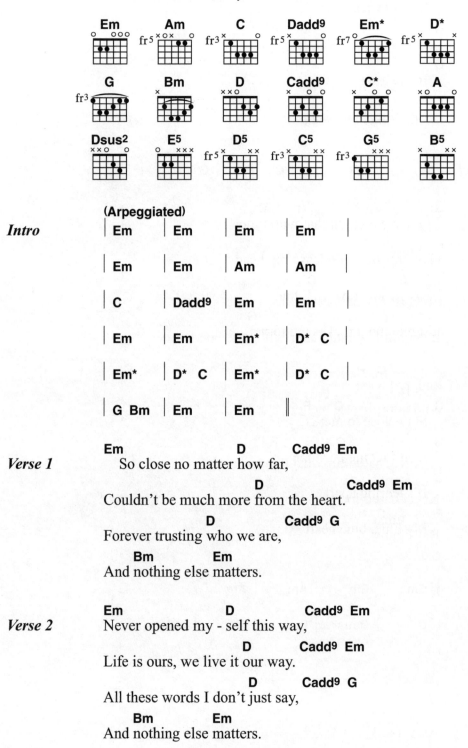

Intro

(Arpeggiated)

| Em | Em | Em | Em |

| Em | Em | Am | Am |

| C | Dadd9 | Em | Em |

| Em | Em | Em* | D* C |

| Em* | D* C | Em* | D* C |

| G Bm | Em | Em |

Verse 1

    Em   D   Cadd9 Em
So close no matter how far,

                      D   Cadd9 Em
Couldn't be much more from the heart.

            D   Cadd9 G
Forever trusting who we are,

   Bm   Em
And nothing else matters.

Verse 2

    Em   D   Cadd9 Em
Never opened my - self this way,

                D   Cadd9 Em
Life is ours, we live it our way.

            D   Cadd9 G
All these words I don't just say,

   Bm   Em
And nothing else matters.

Verse 3

      Em   D   Cadd9 Em
Trust I seek and I find in you,

                     D   Cadd9 Em
Every day for us something new.

                     D   Cadd9 G
Open mind for a different view,

         Bm   Em   C* A
And nothing else matters.

Chorus 1

     D   C*   A D
Never cared for what they do,

                      C*   A D
Never cared for what they know,

        Em
But I know.

Verse 4

     Em   D   Cadd9 Em
So close no matter how far,

                     D   Cadd9 Em
It couldn't be much more from the heart.

                     D   Cadd9 G
Forever trusting who we are,

        Bm   Em   C* A
And nothing else matters.

Chorus 2

     D   C*   A D
Never cared for what they do,

                      C*   A D
Never cared for what they know,

        Em
But I know.

Interlude

‖: Em | Em | Am | Am |

| C* | Dsus2 | Em | Em   :‖

Verse 5   As Verse 2

Verse 6   As Verse 3

Chorus 3

```
          D                       C*   A D
      Never cared for what they say,
                                C*   A D
      Never cared for games they play.
                              C*   A D
      Never cared for what they do,
                                C*   A D
      Never cared for what they know,
              Em
      And I know.
```

Solo

```
| E5    | D5 C5 | E5    | D5 C5 |

| E5    | D5 C5 | G5 B5 | E5       ||

| Em    | Em    |
```

Verse 7

```
      Em              D       Cadd9 Em
      So close no matter how far,
                        D            Cadd9 Em
      Couldn't be much more from the heart.
                        D          Cadd9 G
      Forever trusting who we are,
          Bm          Em
      No, nothing else matters.
```

Outro

```
‖: Em   | Em    | Em    | Em    :‖ Repeat to fade
```

174

Regret

Words & Music by Bernard Sumner, Peter Hook,
Gillian Gilbert, Stephen Morris & Stephen Hague

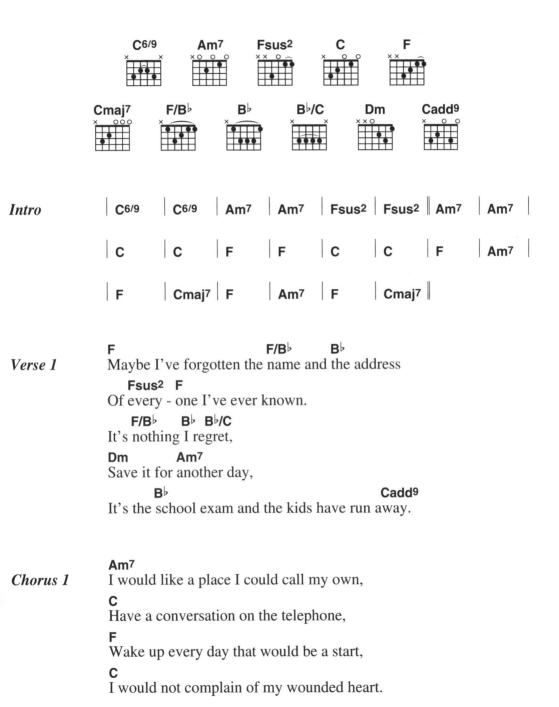

Intro

| C6/9 | C6/9 | Am7 | Am7 | Fsus2 | Fsus2 ‖ Am7 | Am7 |

| C | C | F | F | C | C | F | Am7 |

| F | Cmaj7 | F | Am7 | F | Cmaj7 ‖

Verse 1

F   F/B♭   B♭
Maybe I've forgotten the name and the address

   Fsus2 F
Of every - one I've ever known.

   F/B♭   B♭ B♭/C
It's nothing I regret,

Dm   Am7
Save it for another day,

   B♭   Cadd9
It's the school exam and the kids have run away.

Chorus 1

Am7
I would like a place I could call my own,

C
Have a conversation on the telephone,

F
Wake up every day that would be a start,

C
I would not complain of my wounded heart.

Middle 1

F   Am7
I was upset, you see,

F   Cmaj7
Almost all the time.

F   Am7
You used to be a stranger,

F   Cmaj7
Now you are mine.

Verse 2

  Fsus2   F
I wouldn't even trust you,

    F/B♭ B♭
I've not got much to give.

    Fsus2 F
We're dealing in the limits

   F/B♭   B♭   B♭/C
And we don't know who with.

Dm   Am7
You may think that I'm out of hand,

   B♭
That I'm naive, I'll understand.

   C   Am7
On this occasion, it's not true,

B♭   C
Look at me, I'm not you.

Chorus 2

Am7
I would like a place I could call my own,

C
Have a conversation on the telephone,

F
Wake up every day that would be a start,

C
I would not complain of my wounded heart.

Middle 2

F   Am7
I was a short fuse

F   Cmaj7
Burning all the time.

F   Am7
You were a complete stranger

F   Cmaj7
Now you are mine.

Instrumental ‖: Fsus2 F | F | F/B♭ B♭ | B♭ :‖

| Dm | Am7 | B♭ | B♭ | Cadd9 | Cadd9 |

Chorus 3

Am7
I would like a place I could call my own,

C
Have a conversation on the telephone,

F
Wake up every day that would be a start,

C
I would not complain of my wounded heart.

Outro

Am7   C
   Just wait till tomorrow

                              F
I guess that's what they all say

         C
Just before they fall apart.

x3
‖: F | Am7 | F | C :‖ Cadd9 ‖

177

Relax

Words & Music by Peter Gill, Holly Johnson & Mark O'Toole

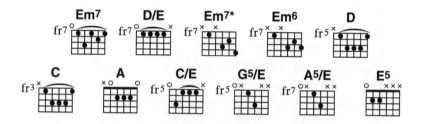

Intro
    Em7
    My———

Give it to me one time now.
    D/E
Well,———
    Em7
Woah,———
    D/E
Well,———

Now.———

Chorus 1
    Em7
Re - lax, don't do it when you want to go to it,
    D/E
Re - lax, don't do it when you want to come.
    Em7
Re - lax, don't do it when you want to suck to it,
    D/E
Re - lax don't do it,
              Em7   **Em7*** **Em6** **Em7**
When you want to come,
                          Em7* **Em6** **Em7**
When you want to come.

Chorus 2

Em⁷
Re - lax, don't do it when you want to go to it,

D/E
Re - lax, don't do it when you want to come.

Em⁷
Re - lax, don't do it when you want to suck to it,

D/E
Re - lax, don't do it,

Em⁷
When you want to come.

Link 1

Em⁷* Em⁶ Em⁷
Ah———— come.

Em⁷* Em⁶ Em⁷ Em⁶ Em⁷
Woah.————————

Bridge

Em⁷
But shoot it in the right direction,

D
Make making it your intention.

C
Live those dreams,

Scheme those schemes,

A
Got to hit me,

Hit me,

Hit me with those laser beams.

                    Em7 Em7* Em6
Link 2
                              Aw aw aw
              Em7 Em7* Em6
                              Laser beams
              Em7 Em7* Em6
                              Ah ah ah
              Em7 Em7* Em6
                              One, Two.

                    Em7   D/E
Chorus 3   Re - lax,

               Don't do it,
                      C/E   D/E
               Re - lax,
                              Em7
               When you want to come.

               Come.

Link 3   **Em7 Em7* Em6**
                              Woo,
               Em7 Em7* Em6
                              Ah, ah, ah, ah, ah, ah, ah,
               Em7 Em7* Em6
                    I'm coming, I'm coming, hey, hey, hey, hey, hey.
               Em7 Em7* Em6
                              Hah, hah, hah.

                    Em7
Chorus 4   Re - lax don't do it when you want to go to it,
                      D/E
               Re - lax don't do it when you want to come,
                      Em7
               Re - lax don't do it when you want to suck to it,
                      D/E
               Re - lax don't do it,
                              G5/E   A5/E   E5
               When you want to come,
                              G5/E   A5/E   E5
               When you want to come,
                              G5/E   A5/E   E5
               When you want to come.
               E5
               Come.
               N.C.
               Huh!

180

nstrumental | **Em⁷** | **Em⁷** | **Em⁷* Em⁶** | **Em⁷** |

| **Em⁷* Em⁶** | **Em⁷** | **Em⁷* Em⁶** | **Em⁷** ‖

Chorus 5
        Em⁷
Re - lax, don't do it when you want to go to it,
        D/E
Re - lax, don't do it.
        Em⁷
Re - lax, don't do it when you want to suck to it,
        D/E
Re - lax, don't do it.

Em⁷
(Synth and FX outro)

Rhiannon

Words & Music by Stevie Nicks

Am   F   C

Intro

| Am | Am | F | F |

| Am | Am | F | F ‖

Verse 1

    Am
Rhi - annon rings like a bell through the night
    F
And wouldn't you love to love her,
Am
  Takes to the sky like a bird in flight
    F
And who will be her lover?

Chorus 1

  C
   All your life you've never seen
    F
Wo - man taken by the wind.
  C
   Would you stay if she promised you Heaven,
F
  Will you ever win?

Verse 2

Am
  She is like a cat in the dark,
   F
And then she is the darkness.
Am
  She rules her life like a fine skylark
   F
And when the sky is starless.

C
    All your life you've never seen

    F
Wo - man taken by the wind.

C
    Would you stay if she promised you Heaven,

F
    Will you ever win,

F
    Will you ever win?

Bridge

Am | **Am** **F** | **Am**
         Rhiannon,

    F   **Am**
Rhian - non,

    F   **Am**
Rhian - non,

    F
Rhiannon.

Verse 3

Am
    She rings like a bell through the night

    F
And wouldn't you love to love her,

Am
    She rules her life like a bird in flight

    F
And who will be her lover?

Chorus 3

C
    All your life you've never seen

    F
Wo - man taken by the wind.

C
    Would you stay if she promised you Heaven,

F
    Will you ever win,

F
    Will you ever win?

| **F** | **F** |

Bridge 2

```
Am        | Am   F | Am
            Rhiannon,
```

```
      F   Am
Rhian - non,
```

```
      F   Am
Rhian - non,
```

```
F                        Am
Taken by, taken by the sky,
```

```
F                        Am
Taken by, taken by the sky.
```

```
F                        Am
Taken by, taken by the sky.
```

```
| F      | F      |
```

Guitar solo

```
||: Am  | Am  | F    | F    |
```

```
| Am   | Am  | F    | F    :||
```

Outro

```
    Am
||: Dreams unwind,
```

```
              F
Love's a state of mind... :|| Repeat to fade
```

184

Runaway

Words & Music by Andrea Corr, Caroline Corr, Sharon Corr & Jim Corr

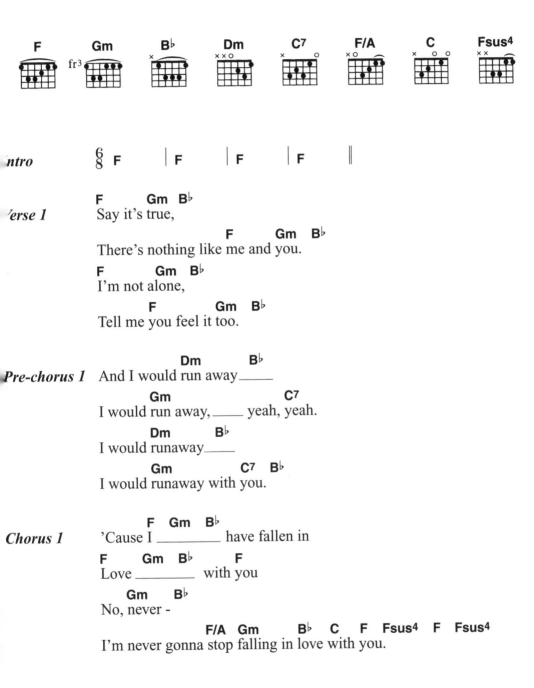

Intro $^6_8$ F | F | F | F   ‖

Verse 1
F   Gm B♭
Say it's true,
                 F   Gm B♭
There's nothing like me and you.
F   Gm B♭
I'm not alone,
          F   Gm   B♭
Tell me you feel it too.

Pre-chorus 1
                        Dm   B♭
And I would run away____
           Gm   C7
I would run away, ____ yeah, yeah.
           Dm   B♭
I would runaway____
           Gm   C7 B♭
I would runaway with you.

Chorus 1
             F   Gm   B♭
'Cause I _____ have fallen in
F   Gm   B♭   F
Love _____ with you
     Gm   B♭
No, never -
                  F/A Gm   B♭ C F Fsus4 F Fsus4
I'm never gonna stop falling in love with you.

Verse 2

    F **Gm** **B♭**
    Close the door,

       F **Gm** **B♭**
    Lay down upon the floor_____

     F **Gm** **B♭**
    And by candlelight,

         F   **Gm** **B♭**
    Make love to me through the night.

Pre-chorus 2

         Dm   **B♭**
    'Cause I have run away_____

    Gm   **C7**
    I have runaway, yeah, yeah.

    Dm   **B♭**
    I have runaway, runaway_____

    Gm   **C7** **B♭**
    I have runaway with you.

Chorus 2   As Chorus 1

Link | **F** | **Gm** | **B♭** |

    C **F** **Gm** **B♭** **C**
    With you _____

        Dm   **B♭**
    And I would runaway_____

    Gm   **C7**
    I would runaway, yeah, yeah

    Dm   **Gm**
    I would runaway_____

        C7 **B♭**
    I would runaway with you.

          F Gm B♭
'Cause I_____ have fallen in

F   Gm B♭   F
Love_____ with you

      Gm   B♭
No, never -

                   F/A Gm   B♭
I'm never gonna stop falling in love

C   F   Gm B♭
With you _____

          F Gm B♭   F
Falling in love _____ with you

      Gm   B♭
No, never -

                   F/A Gm   B♭
I'm never gonna stop falling in love

C   F G B♭
With (you).

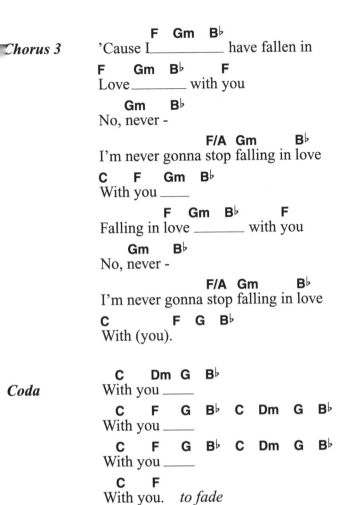

        C   Dm G B♭
With you _____

        C   F   G B♭ C Dm G B♭
With you _____

        C   F   G B♭ C Dm G B♭
With you _____

        C   F
With you.   *to fade*

Save A Prayer

Words & Music by John Taylor, Simon Le Bon, Nick Rhodes, Andy Taylor & Roger Taylor

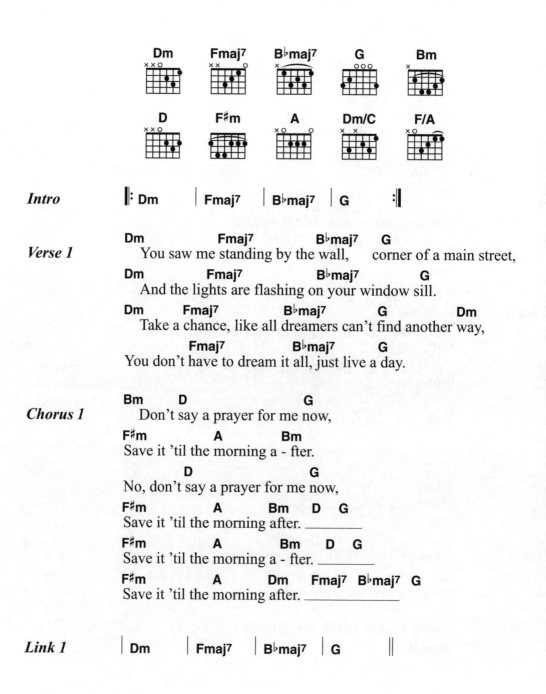

Intro   ‖: Dm | Fmaj⁷ | B♭maj⁷ | G :‖

Verse 1

Dm   Fmaj⁷   B♭maj⁷   G
    You saw me standing by the wall,   corner of a main street,

Dm   Fmaj⁷   B♭maj⁷   G
    And the lights are flashing on your window sill.

Dm   Fmaj⁷   B♭maj⁷   G   Dm
    Take a chance, like all dreamers can't find another way,

        Fmaj⁷   B♭maj⁷   G
You don't have to dream it all, just live a day.

Chorus 1

Bm   D   G
    Don't say a prayer for me now,

F♯m   A   Bm
Save it 'til the morning a - fter.

               D   G
No, don't say a prayer for me now,

F♯m   A   Bm   D G
Save it 'til the morning after. _____

F♯m   A   Bm   D G
Save it 'til the morning a - fter. _____

F♯m   A   Dm   Fmaj⁷ B♭maj⁷ G
Save it 'til the morning after. _____

Link 1 | Dm | Fmaj⁷ | B♭maj⁷ | G ‖

Verse 2

Dm   Fmaj⁷   B♭maj⁷   G   Dm

Pretty looking road, I try to hold the rising floods that fill my skin.

Fmaj⁷   B♭maj⁷   G

Don't ask me why, I'll keep my promise, melt the ice.

Dm   Fmaj⁷   B♭maj⁷

And you wanted to dance so I asked you to dance

G   Dm

But fear is in your soul.

Fmaj⁷   B♭maj⁷

Some people call it a one-night stand,

G   Bm

But we can call it paradise. _____

Chorus 2

D   G

Don't say a prayer for me now,

F♯m   A   Bm

Save it 'til the morning af - ter.

D   G

No, don't say a prayer for me now,

F♯m   A   Bm   D   G

Save it 'til the morning after. _____

F♯m   A   Bm   D   G

Save it 'til the morning a - fter. _____

F♯m   A

Save it 'til the morning

Link 2

‖: Dm | Dm/C | B♭maj⁷ | F/A   :‖

after. _____

Coda

Dm   Dm/C   B♭maj⁷ F/A

Save a prayer 'til the morning after. _____

Dm   Dm/C   B♭maj⁷ F/A

Save a prayer 'til the morning after. _____

Dm   Dm/C

Save a prayer 'til the morning after.

B♭maj⁷

Save a prayer

F/A   Dm Dm/C B♭maj⁷ F/A

'Til the morning after. _____

Fade out

September Gurls

Words & Music by Alex Chilton

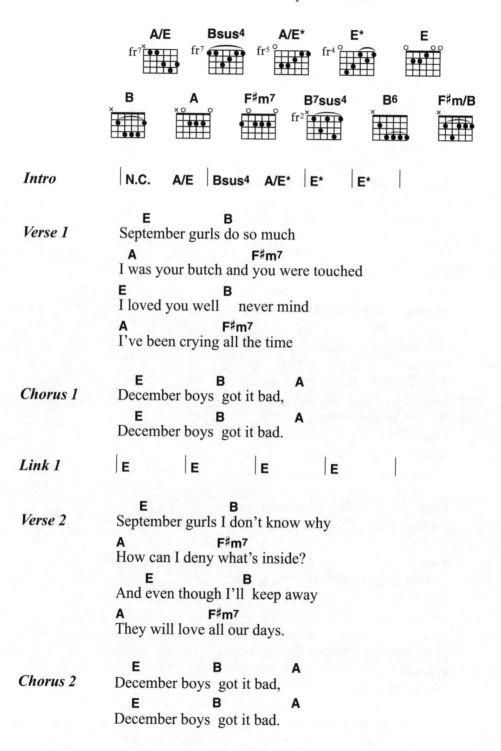

Intro | N.C. A/E | Bsus4 A/E* | E* | E* |

Verse 1

E   B
September gurls do so much
  A   F#m7
I was your butch and you were touched
E   B
I loved you well   never mind
A   F#m7
I've been crying all the time

Chorus 1

    E   B   A
December boys got it bad,
    E   B   A
December boys got it bad.

Link 1 | E | E | E | E |

Verse 2

    E   B
September gurls I don't know why
A   F#m7
How can I deny what's inside?
    E   B
And even though I'll keep away
A   F#m7
They will love all our days.

Chorus 2

    E   B   A
December boys got it bad,
    E   B   A
December boys got it bad.

Link 2 | E | E |

Bridge

        B   B7sus4
When I get to bed

    B   B7sus4
Late at night

    B6   B7sus4
That's the time

        B6   F♯m/B
She makes things right

    B6   F♯m/B   B6   F♯m/B   F♯m7
Ooh when she makes love to me,   ooh.

Guitar Solo | E | B A | E B | A | E B | A |

                                drum fill

| E B | A (N.C.)| N.C. | E | E |

Verse 3

        E   B
September gurls do so much

     A   F♯m7
I was your butch and you were touched

    E   B
I loved you well   never mind

    A   F♯m7
I've been crying all the time

Chorus 3

        E   B   A
December boys   got it bad,

        E   B   A
December boys   got it bad,

        E   B   A
December boys   got it bad.

                                          x2

Outro   ‖: E   B | A | E B | A   :‖

| E   B | A | E   ‖

She's Not There

Words & Music by Rod Argent

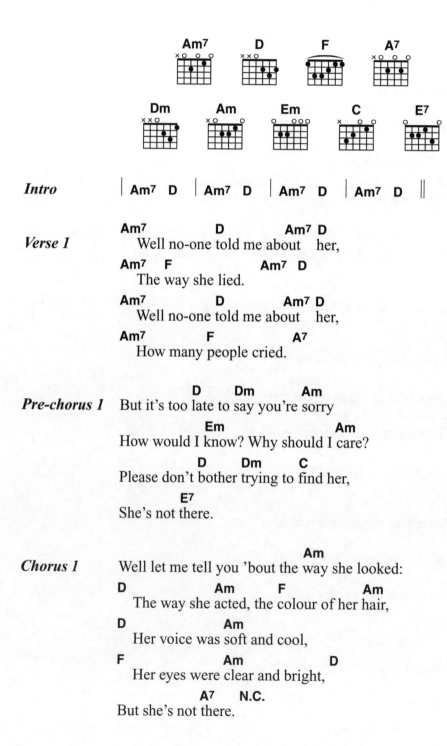

Intro | Am⁷ D | Am⁷ D | Am⁷ D | Am⁷ D ||

Verse 1
```
Am⁷              D           Am⁷ D
  Well no-one told me about   her,
Am⁷   F              Am⁷ D
  The way she lied.
Am⁷              D           Am⁷ D
  Well no-one told me about   her,
Am⁷            F            A⁷
  How many people cried.
```

Pre-chorus 1
```
                    D    Dm      Am
But it's too late to say you're sorry
               Em                Am
How would I know? Why should I care?
                    D    Dm     C
Please don't bother trying to find her,
            E⁷
She's not there.
```

Chorus 1
```
                                   Am
Well let me tell you 'bout the way she looked:
D          Am      F          Am
  The way she acted, the colour of her hair,
D             Am
  Her voice was soft and cool,
F             Am              D
  Her eyes were clear and bright,
                  A⁷    N.C.
But she's not there.
```

Link | Am7 D | Am7 D | Am7 D | Am7 D ‖

Verse 2

Am7   D   Am7 D
Well no-one told me about her,

Am7 F   Am7 D
What could I do?

Am7   D   Am7 D
Well no-one told me about her,

Am7   F   A7
Though they all knew.

Pre-chorus 2 As Pre-chorus 1

Chorus 2   As Chorus 1

Organ solo | Am7 D | Am7 D | Am7 D | Am7 D | Am7 D |

| Am7 D | Am7 D | A7 | A7 ‖

Pre-chorus 3

       D Dm Am
But it's too late to say you're sorry

        Em   Am
How would I know? Why should I care?

       D Dm C
Please don't bother trying to find her,

     E7
She's not there.

Chorus 3

              Am
Well let me tell you 'bout the way she looked:

D   Am   F   Am
The way she acted, the colour of her hair,

D   Am
Her voice was soft and cool,

F   Am   D
Her eyes were clear and bright,

      A7
But she's not there.

Sin City

Words & Music by Gram Parsons & Chris Hillman

D G/A F#m/A Em/A G D7 A7

Capo first fret

Intro   ‖: D | G/A F#m/A Em/A | G | D :‖

Verse 1
          D   A7
This old town is filled with sin
       D   G
It'll swallow you in
       D   A7
If you've got some money to burn
         D   A7
Take it home right away
         D   G
You've got three years to pay
      D   A7   D   D7
But Satan is waiting his turn.

Chorus 1
             G   A7   D   D7
This old earthquake's gonna leave me in the poorhouse
       G   D   A7
It seems like this whole town's insane
         G   A7   D   G
On the thirty-first floor a gold-plated door
       D   A7   D
Won't keep out the Lord's burning rain.

Verse 2
        D   A7
The scientists say
       D   G
It'll all wash away
       D   A7
But we don't believe anymore
           D   A7
'Cause we've got our recruits

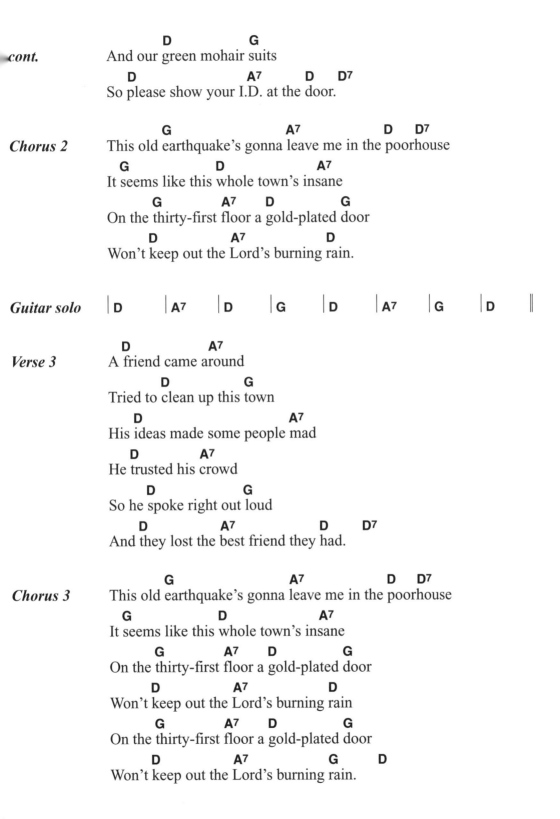

      D   **G**

cont. And our green mohair suits

     D   **A7**   **D** **D7**

    So please show your I.D. at the door.

         G   **A7**   **D** **D7**

Chorus 2 This old earthquake's gonna leave me in the poorhouse

      G   **D**   **A7**

    It seems like this whole town's insane

      G   **A7** **D**   **G**

    On the thirty-first floor a gold-plated door

      D   **A7**   **D**

    Won't keep out the Lord's burning rain.

Guitar solo | **D** | **A7** | **D** | **G** | **D** | **A7** | **G** | **D** ‖

      D   **A7**

Verse 3 A friend came around

      D   **G**

    Tried to clean up this town

     D   **A7**

    His ideas made some people mad

     D   **A7**

    He trusted his crowd

     D   **G**

    So he spoke right out loud

     D   **A7**   **D** **D7**

    And they lost the best friend they had.

         G   **A7**   **D** **D7**

Chorus 3 This old earthquake's gonna leave me in the poorhouse

      G   **D**   **A7**

    It seems like this whole town's insane

      G   **A7** **D**   **G**

    On the thirty-first floor a gold-plated door

      D   **A7**   **D**

    Won't keep out the Lord's burning rain

      G   **A7** **D**   **G**

    On the thirty-first floor a gold-plated door

      D   **A7**   **G** **D**

    Won't keep out the Lord's burning rain.

Sit Down

Words & Music by Tim Booth, Larry Gott, Jim Glennie & Gavan Whelan

Intro ‖: G | G | C | D :‖

Verse 1
```
      G                    C            D
I'll sing myself to sleep, a song from the darkest hour.
G                    C          D
Secret's I can't keep inside all the day.
G                       C            D
Swing from high to deep, extremes of sweet and sour.
G                    C      D
Hope that God exists, I hope, I pray.
```

Bridge
```
   G
Drawn by the undertow,
      C                D
My life is out of control.
   G                          C
I believe this wave will bear my weight,
          D
So let it flow.
```

Chorus 1
```
         G
Oh sit down, oh sit down, oh sit down,
   C            D
Sit down next to me.
      G
Sit down, down, down, down,
      C         D
Down in sympathy.
```

Instrumental ‖: G | G | C | D :‖

© Copyright 1989 Blue Mountain Music Limited.
All Rights Reserved. International Copyright Secured.

196

```
                G                                    C              D
Verse 2    Now I'm relieved to hear that you've been to some far out places.
                G                         C       D
           It's hard to carry on when you feel all alone.
           G                                   C                    D
           Now I've swung back down again it's worse than it was before.
                G                          C             D
           If I hadn't seen such riches I could live with being poor.
```

Chorus 2   As Chorus 1

```
Link       | G      | G      | G      | G        ||
```

```
           G                                   (C)             (D)
Middle     Those who feel the breath of sadness, sit down next to me.
           G                                   (C)             (D)
           Those who find they're touched by madness, sit down next to me.
           G                              (C)             (D)
           Those who find themselves ridiculous, sit down next to me.
              G
           In love, in fear, in hate, in tears,
              C          D
           In love, in fear, in hate, in tears,
              G
           In love, in fear, in hate, in tears,
              C          D
           In love, in fear, in hate.
           G      | G      | C      | D      |
           Down.
           G      | G      | C      | D      ||
           Down.
```

Chorus 3   As Chorus 1

```
              G
Chorus 4   Oh sit down, oh sit down, oh sit down,
           C          D
           Sit down next to me.
              G
           Sit down, down, down, down,
              C          D
           Down in sympathy.
           G
           Down.
```

Somewhere Only We Know

Words & Music by Tim Rice-Oxley, Tom Chaplin & Richard Hughes

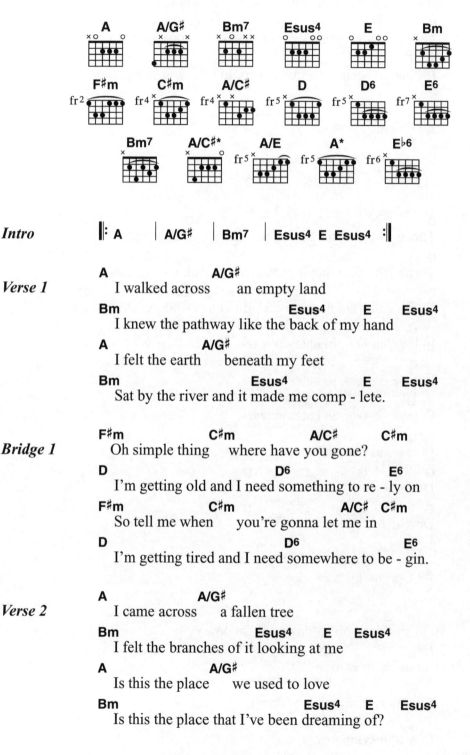

Intro   ‖: A | A/G# | Bm7 | Esus4 E Esus4 :‖

Verse 1

A   A/G#
  I walked across   an empty land
Bm   Esus4   E   Esus4
  I knew the pathway like the back of my hand
A   A/G#
  I felt the earth   beneath my feet
Bm   Esus4   E   Esus4
  Sat by the river and it made me comp - lete.

Bridge 1

F#m   C#m   A/C#   C#m
  Oh simple thing   where have you gone?
D   D6   E6
  I'm getting old and I need something to re - ly on
F#m   C#m   A/C# C#m
  So tell me when   you're gonna let me in
D   D6   E6
  I'm getting tired and I need somewhere to be - gin.

Verse 2

A   A/G#
  I came across   a fallen tree
Bm   Esus4   E   Esus4
  I felt the branches of it looking at me
A   A/G#
  Is this the place   we used to love
Bm   Esus4   E   Esus4
  Is this the place that I've been dreaming of?

Bridge 2   As Bridge 1

Chorus 1
    Bm⁷   **A/C♯***   **A/E**
    And if you have a minute why don't we go
    Bm⁷   **A/C♯***   **A/E**
    Talk about it somewhere only we know
    Bm⁷   **A/C♯***   **A/E**
    This could be the end of every - thing
    D⁶
So why don't we go
    D⁶   **A***
Somewhere only we know.

Link 1
    D⁶ E⁶   **D⁶**   **E⁶ Bm⁷/E E⁶**
    Somewhere only we know.___

Bridge 3   As Bridge 1

Chorus 2
    Bm⁷   **A/C♯***   **A/E**
    And if you have a minute why don't we go
    Bm⁷   **A/C♯***   **A/E**
    Talk about it somewhere only we know
    Bm⁷   **A/C♯***   **A/E**
    This could be the end of every - thing
    D⁶
So why don't we go
    D⁶   **A***
So why don't we   go.

Outro
    | **Bm⁷** | **A/C♯* A/E** | **Bm⁷** | **A/C♯* A/E** ‖
    Bm⁷   **A/C♯***   **A/E**
    This could be the end of every - thing
    D⁶
So why don't we go
    E⁶   **A***
Somewhere only we know
    D⁶   **E⁶**   **E♭⁶ D⁶**
    Somewhere only we kno - ow
    E⁶   **D⁶ D A***
Somewhere only we know.__

The Scientist

Words & Music by Guy Berryman, Chris Martin, Jon Buckland & Will Champion

Intro ‖: Dm7 | B♭ | F | Fsus2 :‖

Verse 1

Dm7   B♭
   Come up to meet you,

       F
Tell you I'm sorry,

                 Fsus2
You don't know how lovely you are.

Dm7   B♭
   I had to find you,

      F
Tell you I need you,

         Fsus2   C/F
Tell you I'll set   you apart.

Dm7   B♭
   Tell me your secrets,

        F
And ask me your questions,

      Fsus2   C/F
Oh let's go back to the start.

Dm7   B♭
   Running in circles,

      F
Coming up tails,

        Fsus2   C/F
Heads on a silence apart.

Chorus 1

B♭
   Nobody said it was easy,

F   Fsus2
   It's such a shame for us to part.

B♭
   Nobody said it was easy,

| | F | | C/F | | Fsus2 | | C |
No-one ever said it would be this hard.

C/G   (F)
Oh, take me back to the start.

Link | F | B♭ | F | F | F | B♭ | F | Fsus2 ‖

Verse 2

Dm7   B♭
I was just guessing

              F
At numbers and figures,

         Fsus2
Pulling your puzzles apart.

Dm7   B♭
Questions of science,

           F
Science and progress,

         Fsus2
Do not speak as loud   as my heart.

Dm7   B♭
Tell me you love me,

          F
Come back and haunt   me,

       Fsus2
Oh and I rush to the start.

Dm7   B♭
Running in circles,

         F
Chasing our tails,

      Fsus2
Coming back as we are.

Chorus 2

B♭
Nobody said it was easy,

F   Fsus2
Oh it's such a shame for us to part.

B♭
Nobody said it was easy,

F   C/F   Fsus2   C
No-one ever said it would be so hard.

C/G   (F)
I'm going back to the start.

Instrumental | F | B♭ | F | F | Dm7 | B♭ | F | F   ‖

201

Outro

| Dm7 | B♭ | F | F |

Ooh _____

| Dm7 | B♭ | F | F |

Ah ooh _____

| Dm7 | B♭ | F | F |

Oh ooh _____

| Dm7 | B♭ | F̂ |

Oh ooh.

Stayin' Alive

Words & Music by Barry Gibb, Maurice Gibb & Robin Gibb

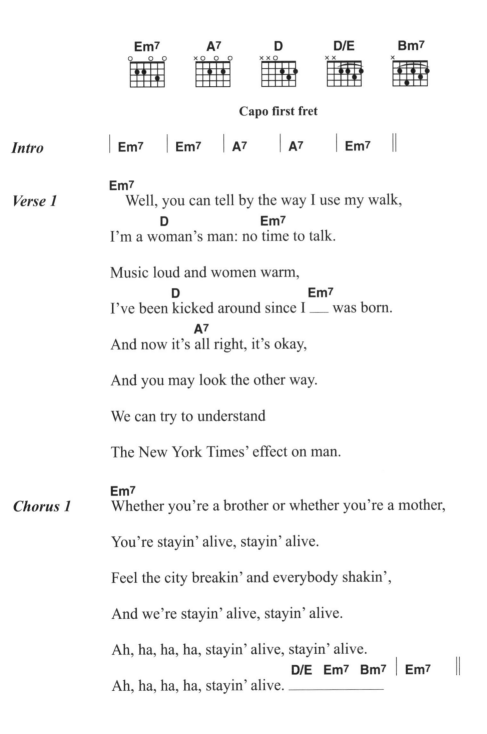

Em⁷   **A⁷**   **D**   **D/E**   **Bm⁷**

Capo first fret

Intro | Em⁷ | Em⁷ | A⁷ | A⁷ | Em⁷ ||

Verse 1

Em⁷
Well, you can tell by the way I use my walk,
D   **Em⁷**
I'm a woman's man: no time to talk.

Music loud and women warm,
             D   **Em⁷**
I've been kicked around since I __ was born.
             A⁷
And now it's all right, it's okay,

And you may look the other way.

We can try to understand

The New York Times' effect on man.

Chorus 1

Em⁷
Whether you're a brother or whether you're a mother,

You're stayin' alive, stayin' alive.

Feel the city breakin' and everybody shakin',

And we're stayin' alive, stayin' alive.

Ah, ha, ha, ha, stayin' alive, stayin' alive.
                              D/E Em⁷ Bm⁷ | **Em⁷** ||
Ah, ha, ha, ha, stayin' alive. _____

Verse 2

Em7
　　Well now, I get low and I get high,
　　　　　D　　　　　　　　Em7
And if I can't get either, I really try.

Got the wings of heaven on my shoes,
　　　　　D　　　　　　　　Em7
I'm a dancin' man and I just can't lose.
　　　　　A7
You know it's all right, it's okay,

I'll live to see another day.

We can try to understand

The New York Times' effect on man.

Chorus 2

Em7
Whether you're a brother or whether you're a mother,

You're stayin' alive, stayin' alive.

Feel the city breakin' and everybody shakin',

And we're stayin' alive, stayin' alive.

Ah, ha, ha, ha, stayin' alive, stayin' alive.
　　　　　　　　　　　　　D/E　Em7　Bm7 │ Em7　　　 │ Em7　　　 ‖
Ah, ha, ha, ha, stayin' alive. ＿＿＿＿＿＿＿

Middle

A7
　　Life goin' nowhere,

Somebody help me,
　　　　　　　　　　Em7　　 │ Em7　　 │
Somebody help me, yeah.
A7
　　Life goin' nowhere,

Somebody help me, yeah.
　　　　　Em7
Stayin' alive.

204

Verse 3

Em7
Well, you can tell by the way I use my walk,
　　　D　　　　　　**Em7**
I'm a woman's man: no time to talk.

Music loud and women warm,
　　　　D　　　　　　　　**Em7**
I've been kicked around since I ___ was born.
　　　　　　　　A7
And now it's all right, it's okay,

And you may look the other way.

We can try to understand

The New York Times' effect on man.

Chorus 3

Em7
Whether you're a brother or whether you're a mother,

You're stayin' alive, stayin' alive.

Feel the city breakin' and everybody shakin',

And we're stayin' alive, stayin' alive.

Ah, ha, ha, ha, stayin' alive, stayin' alive.
　　　　　　　　　　　　D/E　**Em7**　**Bm7**　| **Em7**　　| **Em7**　　‖
Ah, ha, ha, ha, stayin' alive. _____

Outro

　　　A7
‖: 　Life goin' nowhere,

Somebody help me,
　　　　　　　Em7　　| **Em7**　　|
Somebody help me, yeah.
A7
　Life goin' nowhere,
　　　　　　　Em7
Somebody help me, yeah.

I'm stayin' alive. 　:‖　*Repeat to fade*

205

Stop

Words & Music by Victoria Aadams, Emma Bunton, Melanie Brown,
Melanie Chisholm, Geri Halliwell, Andy Watkins & Paul Wilson

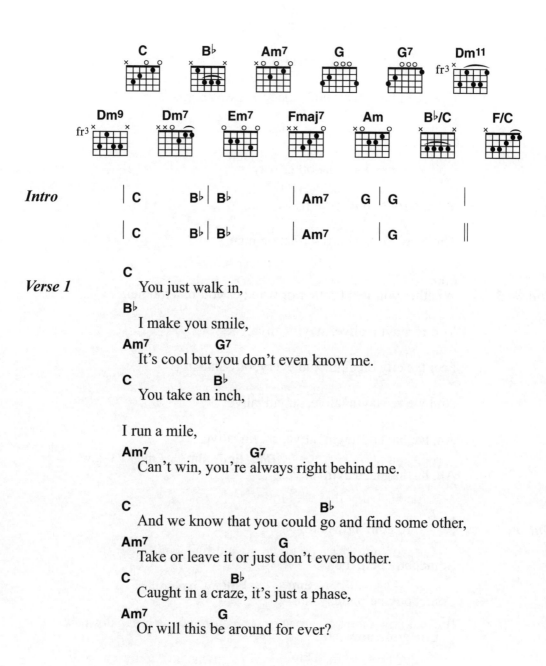

Intro

| C   Bb | Bb | Am7   G | G | |
| C   Bb | Bb | Am7 | G | ‖

Verse 1

C
You just walk in,

Bb
I make you smile,

Am7   G7
It's cool but you don't even know me.

C   Bb
You take an inch,

I run a mile,

Am7   G7
Can't win, you're always right behind me.

C   Bb
And we know that you could go and find some other,

Am7   G
Take or leave it or just don't even bother.

C   Bb
Caught in a craze, it's just a phase,

Am7   G
Or will this be around for ever?

Dm¹¹   **Dm⁹**
  Don't you know it's goin' too fast?
Dm¹¹   **Dm⁹**
  Racing so hard you know it won't last.
Dm⁷   **Em⁷**
  Don't you know? What can't you see?
                  Fmaj⁷
Slow it down, read the sign,
              G
So you know just where you're goin'.

Chorus 1

C   **B♭**
Stop right now, thank you very much,
    Am   **G⁷**
I need somebody with a human touch.
C   **B♭**
  Hey you, al - ways on the run,
        Am   **G⁷**
Gotta slow it down baby, gotta have some fun.

Verse 2

C
  Do do do do,
B♭
  Do do do do,
Am⁷   **G⁷**
  Do do do do,   always be together.
C
  Ba da ba ba,
B♭
  Ba da ba ba,
Am⁷   **G⁷**
  Ba da ba,   stay that way forever.

C   **B♭**
  And we know that you could go and find some other,
Am⁷   **G**
  Take or leave it 'cos we've always got each other.
C   **B♭**
  You know who you are and yes, you're gonna break down,
Am⁷   **G**
  You've crossed the line so you're gonna have to turn around.

Pre-chorus 2   As Pre-chorus 1

Chorus 2   As Chorus 1

Middle | (C) | (C) | (C) | (C) ||

        C
Gotta keep it down honey,
        B♭/C
Lay your back on the line,
           F/C
'Cos I don't care about the money,
        B♭/C
Don't be wastin' my time.
        C
You need less speed,
B♭/C
Get off my case,
        F/C
You gotta slow it down baby,
        G
Just get out of my face.

        C   B♭
Chorus 3 Stop right now, thank you very much,
        Am   G7
I need somebody with a human touch.
        C   B♭
Hey you, al - ways on the run,
          Am   G7
Gotta slow it down baby, gotta have some fun.

        C   B♭
Chorus 4 Stop right now, thank you very much,
        Am   G7
I need somebody with a human touch.
        C   B♭
Hey you, al - ways on the run,
          Am   G7   C
Gotta slow it down baby, gotta have some fun. ____

Supersonic

Words & Music by Noel Gallagher

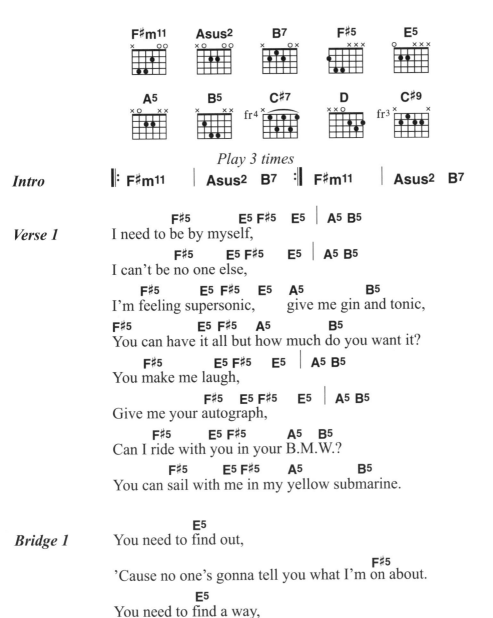

F#m11 Asus2 B7 F#5 E5 A5 B5 C#7 D C#9

Play 3 times

Intro   ‖: F#m11 | Asus2 B7 :‖ F#m11 | Asus2 B7 |

Verse 1

       F#5   E5 F#5 E5 | A5 B5
I need to be by myself,

       F#5   E5 F#5 E5 | A5 B5
I can't be no one else,

       F#5   E5 F#5 E5 A5   B5
I'm feeling supersonic,   give me gin and tonic,

F#5   E5 F#5 A5   B5
You can have it all but how much do you want it?

      F#5   E5 F#5 E5 | A5 B5
You make me laugh,

        F#5 E5 F#5   E5 | A5 B5
Give me your autograph,

     F#5   E5 F#5   A5 B5
Can I ride with you in your B.M.W.?

       F#5   E5 F#5   A5   B5
You can sail with me in my yellow submarine.

Bridge 1

        E5
You need to find out,

                              F#5
'Cause no one's gonna tell you what I'm on about.

       E5
You need to find a way,

                C#7
For what you want to say, but before tomorrow.

<pre>
                        D   A⁵   E⁵   F♯⁵
Chorus 1   'Cause my friend said he'd take you home,

                        D   A⁵   E⁵   F♯⁵
                He sits in a corner all alone.

                D   A⁵   E⁵   F♯⁵
                He lives under a waterfall,

                D   A⁵
                Nobody can see him,

                E⁵   F♯⁵   D   A⁵
                Nobody can ever hear him call,

                E⁵   F♯⁵   D   A⁵
                Nobody can ever hear him call.

Guitar solo | E⁵ F♯⁵ | D   A⁵ | E⁵ F♯⁵ | D   A⁵ |

                | E⁵ F♯⁵ | E⁵ | E⁵ | C♯9 | C♯9

                            F♯⁵   E⁵ F♯⁵ E⁵ | A⁵ B⁵
Verse 2   You need to be yourself,

                            F♯⁵   E⁵ F♯⁵ E⁵ | A⁵ B⁵
                You can't be no one else.

                  F♯⁵   E⁵   F♯⁵ E⁵   A⁵   B⁵
                I know a girl called Elsa, she's into Alka Seltzer,

                    F♯⁵   E⁵ F♯⁵   A⁵   B⁵
                She sniffs it through a cane on a supersonic train.

                      F♯⁵   E⁵ F♯⁵ E⁵ | A⁵ B⁵
                And she makes me laugh,

                        F♯⁵ E⁵ F♯⁵   E⁵ | A⁵ B⁵
                I got her autograph.

                    F♯⁵   E⁵ F♯⁵   E⁵ A⁵   B⁵
                She's done it with a doctor   on a helicopter,

                    F♯⁵   E⁵ F♯⁵ E⁵ A⁵   B⁵
                She's sniffin' in her tissue, sellin' the big issue.

                            E⁵
Bridge 2   When she finds out,

                                                    F♯⁵
                'Cause no ones's gonna tell her what I'm on about.

                            E⁵
                You need to find a way

                                C♯7
                For what you want to say, but before tomorrow.
</pre>

Chorus 2
```
              D          A5        E5        F♯5
         'Cause my friend said he'd take you home,

             D        A5     E5    F♯5
         He sits in a corner all alone.

         D           A5         E5    F♯5
         He lives under a waterfall,

         D                  A5
         Nobody can see him,

         E5        F♯5                    D     A5
         Nobody can ever hear him call,

         E5        F♯5                    D     A5
         Nobody can ever hear him call.
```

Guitar solo   ‖: E5 F♯5 | D   A5 :‖   *Repeat to fade*

Take It Easy

Words & Music by Jackson Browne & Glenn Frey

G   C   D7sus4   D   Em   Am   G7

Tune guitar slightly flat

Intro   ‖: G | G | C | D7sus4 :‖ G | G ‖

Verse 1

          G
Well I'm a-runnin' down the road tryin' to loosen my load,
                  D   C
I've got seven women on my mind.
G   D
Four that wanna own me, two that wanna stone me,
    C   G
One says she's a friend of mine.

Chorus 1

             Em   C G
Take it easy, take it ea - sy,
               Am   C   Em
Don't let the sound of your own wheels drive you crazy.
         C   G   C   G
Lighten up while you still can, don't even try to understand,
         Am   C   G
Just find a place to make your stand and take it easy.

| G | G ‖

Verse 2

          G
Well I'm a-standin' on a corner in Winslow, Arizona,
               D   C
And such a fine sight to see;
         G   D
It's a girl, my Lord, in a flat-bed Ford,
         C   G
Slowin' down to take a look at me.

Chorus 2

     Em D   C G
Come on, baby, don't say may - be,

     Am   C   Em
I gotta know if your sweet love is gonna save me.

     C   G   C   G
We may lose and we may win, though we will never be here again,

     Am   C
So open up, I'm climbin' in,

       G
So take it easy.

Instrumental | G | G | G D | C | G | D | C | G |

         | Em | D | C | G | Am | C | Em | Em D ||

Verse 3

         G
Well, I'm a-runnin' down the road, tryin' to loosen my load,

            D   Am
Got a world of trouble on my mind.

   G   D
Lookin' for a lover who won't blow my cover,

     C   G
She's so hard to find.

Chorus 3

       Em   C G
Take it easy, take it ea - sy,

         Am   C   Em
Don't let the sound of your own wheels make you crazy.

        C G   C G
Come on, ba - by, don't say may - be,

        Am   C
I gotta know if your sweet love

        G
Is gonna save me.

Outro   ‖: C | C | G | G7 :‖ *Play 4 times*
       With vocal ad lib.

       | C | C | Em ‖

Take Me With U

Words & Music by Prince

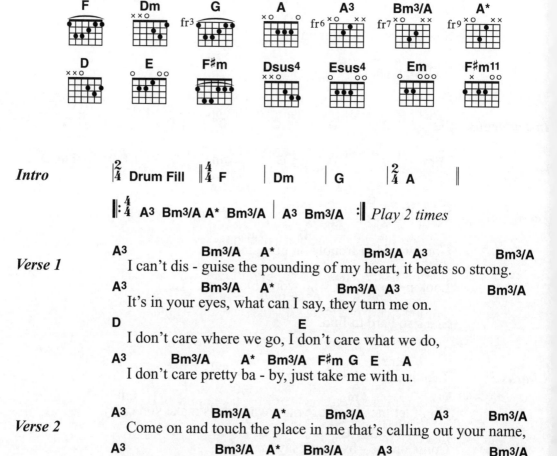

Intro | 2/4 Drum Fill | 4/4 F | Dm | G | 2/4 A ||

‖: 4/4 A³ Bm³/A A* Bm³/A | A³ Bm³/A :‖ *Play 2 times*

Verse 1

A³   Bm³/A A*   Bm³/A A³   Bm³/A
I can't dis - guise the pounding of my heart, it beats so strong.

A³   Bm³/A A*   Bm³/A A³   Bm³/A
It's in your eyes, what can I say, they turn me on.

D   E
I don't care where we go, I don't care what we do,

A³   Bm³/A A* Bm³/A F♯m G E A
I don't care pretty ba - by, just take me with u.

Verse 2

A³   Bm³/A A* Bm³/A   A³   Bm³/A
Come on and touch the place in me that's calling out your name,

A³   Bm³/A A* Bm³/A   A³   Bm³/A
We want each other oh so much, why must we play this game?

D   E
I don't care where we go, I don't care what we do,

A³   Bm³/A A* Bm³/A F♯m G E A
I don't care pretty ba - by, just take me with u.

Bridge

F
    I don't care if we spend the night, if we spend the night

       A3   Bm3/A A* Bm3/A
At your man - sion,

F   A3   Bm3/A A* Bm3/A
    I don't care if we spend the night on the town.

Dsus4   Esus4   F♯m11
    All I want is 2 spend the night to - gether,

F   G   A3   Bm3/A A* Bm3/A
    All I want is 2 spend the night in your arms.

Verse 3

A3   Bm3/A A*   Bm3/A A3   Bm3/A
    2 be a - round u is so-oh right, u're sheer per - fection (thank-u).

A3   Bm3/A A*   Bm3/A
    Drive me crazy, drive me all night,

          A3   Bm3/A
Just don't break up the con - nection.

Dsus2   E
    I don't care where we go, I don't care what we do,

A3   Bm3/A   A* Bm3/A F♯m G E   A
    I don't care pretty ba - by, just take me with u.

Outro

Dsus4   E
    I don't care where we go, I don't care what we do,

A3   Bm3/A   A* Bm3/A F♯m G E   A
    I don't care pretty ba - by, just take me with u,

    F♯m G E   A
Just take me with u,

        F♯m G E   A
Oh, won't u take me with u,

       F♯m G E   A
Honey, take me with u.

| A3 Bm3/A A* Bm3/A | A3 Bm3/A | $\frac{2}{4}$ Drum Fill ‖
                      Ooh.___

half time
| $\frac{4}{4}$ F | Dm | G | $\frac{2}{4}$ A   ‖

a tempo
‖: $\frac{4}{4}$ A3 Bm3/A A* Bm3/A | A3 Bm3/A :‖ *To Fade*

Teach Your Children

Words & Music by Graham Nash

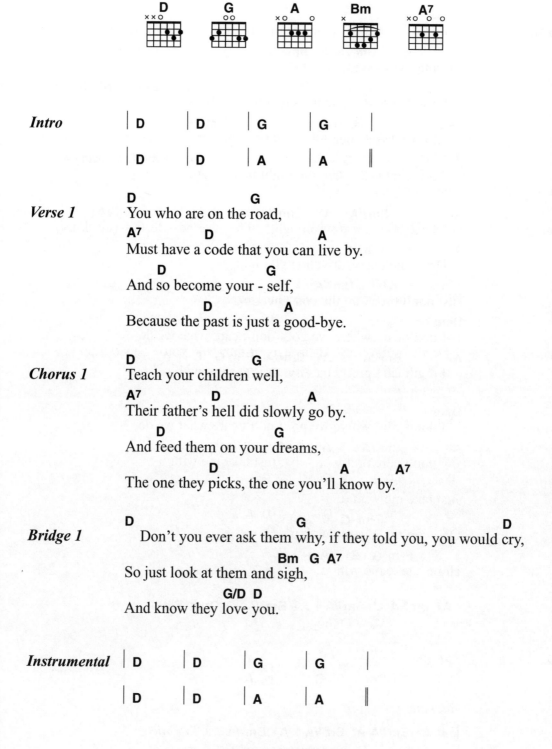

Intro
| D | D | G | G |
| D | D | A | A ‖

Verse 1

D   G
You who are on the road,

A7   D   A
Must have a code that you can live by.

D   G
And so become your - self,

               D   A
Because the past is just a good-bye.

Chorus 1

D   G
Teach your children well,

A7   D   A
Their father's hell did slowly go by.

D   G
And feed them on your dreams,

               D   A   A7
The one they picks, the one you'll know by.

Bridge 1

D   G   D
    Don't you ever ask them why, if they told you, you would cry,

                     Bm G A7
So just look at them and sigh,

               G/D D
And know they love you.

Instrumental
| D | D | G | G |
| D | D | A | A ‖

Verse 2

    D   G
And you, of tender years,

              D   A
Can't know the fears that your elders grew by.

        A⁷   D   G
And so please help them with your youth,

          D   A   A⁷
They seek the truth before they can die.

Chorus 2

D   G
Teach your parents well,

          D   A
Their children's hell will slowly go by.

      D   G
And feed them on your dreams,

         D   A
The one they picks, the one you'll know by.

Bridge 2

D   G   D
   Don't you ever ask them why, if they told you, you would cry,

                  Bm G A⁷
So just look at them and sigh,

                G/D D
And know they love you.

Outro

D	D	G	G	
D	A	D	D A D

Teenage Kicks

Words & Music by John O'Neill

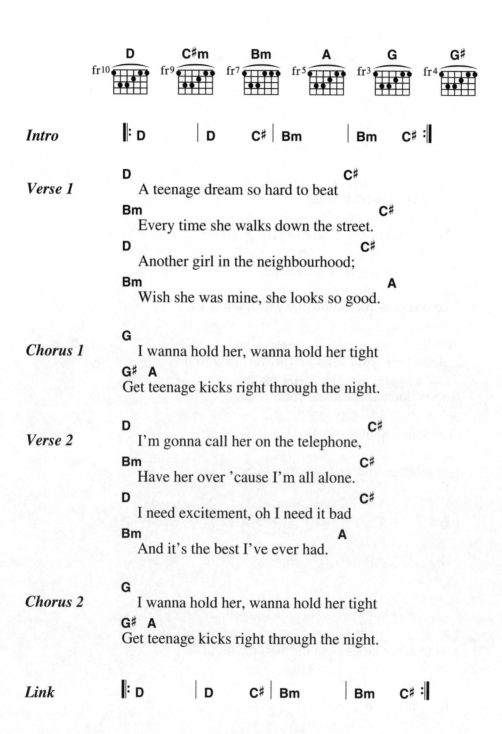

Intro   ‖: D | D   C♯ | Bm | Bm   C♯ :‖

Verse 1

    D   C♯
A teenage dream so hard to beat
Bm   C♯
Every time she walks down the street.
D   C♯
Another girl in the neighbourhood;
Bm   A
Wish she was mine, she looks so good.

Chorus 1

    G
I wanna hold her, wanna hold her tight
G♯ A
Get teenage kicks right through the night.

Verse 2

    D   C♯
I'm gonna call her on the telephone,
Bm   C♯
Have her over 'cause I'm all alone.
D   C♯
I need excitement, oh I need it bad
Bm   A
And it's the best I've ever had.

Chorus 2

    G
I wanna hold her, wanna hold her tight
G♯ A
Get teenage kicks right through the night.

Link   ‖: D | D   C♯ | Bm | Bm   C♯ :‖

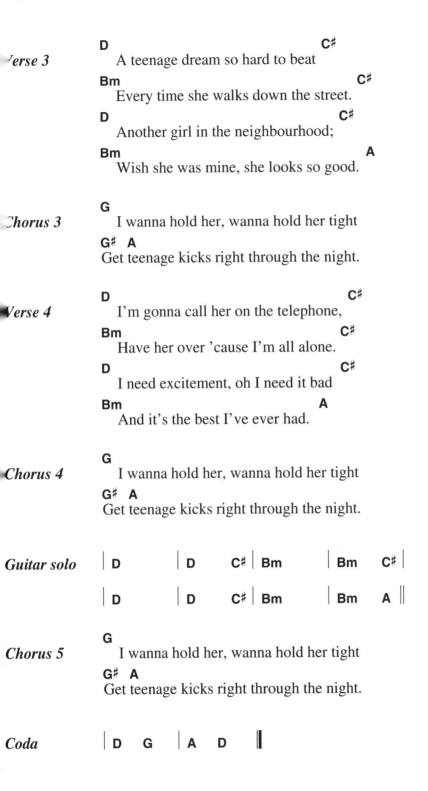

Verse 3

      D   C♯
   A teenage dream so hard to beat
   Bm   C♯
   Every time she walks down the street.
   D   C♯
   Another girl in the neighbourhood;
   Bm   A
   Wish she was mine, she looks so good.

Chorus 3

   G
   I wanna hold her, wanna hold her tight
   G♯ A
 Get teenage kicks right through the night.

Verse 4

   D   C♯
   I'm gonna call her on the telephone,
   Bm   C♯
   Have her over 'cause I'm all alone.
   D   C♯
   I need excitement, oh I need it bad
   Bm   A
   And it's the best I've ever had.

Chorus 4

   G
   I wanna hold her, wanna hold her tight
   G♯ A
 Get teenage kicks right through the night.

Guitar solo

| D | | D | C♯ | Bm | | Bm | C♯ |
| D | | D | C♯ | Bm | | Bm | A ‖

Chorus 5

   G
   I wanna hold her, wanna hold her tight
   G♯ A
 Get teenage kicks right through the night.

Coda

| D G | A D ‖

That'll Be The Day

Words & Music by Buddy Holly, Norman Petty & Jerry Allison

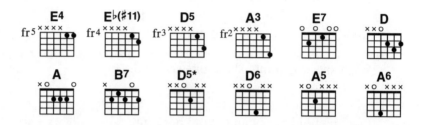

Intro | E4 E♭(♯11)   D5   A3 | E7 |

Chorus 1
           D
Well, that'll be the day when you say goodbye
      A
Yes, that'll be the day when you make me cry
   D
You say you're gonna leave, you know it's a lie
         A   **(N.C.)**   **E7**   **A**
'Cause that'll be the day when I die.

Verse 1
               D   **A**
Well, you give me all your lovin' and your   turtle dovin'
   D   **A**
All your hugs and kisses and your   money too
     D
Well,   you know you love me baby,
A
   Still you tell me, maybe,
B7   **E7**
That some day, well, I'll be through.

Chorus 2   As Chorus 1

Guitar solo		A		A		A		A		

	D5* D6 D5* D6	D5* D6 D5* D6	A5 A6 A5 A6	A5 A6 A5 A6

	E7	D	A E4 E♭(♯11) D5	A3 E7 ‖

Chorus 3   As Chorus 1

Verse 2

       D   **A**
Well, when Cupid shot his dart he shot it at your heart
D   **A**
  So if we ever part then I'll leave you
D   **A**
  You sit and hold me and you tell me boldly
B7   **E7**
That some day, well, I'll be blue.

Chorus 4   As Chorus 1

Outro

       D
Well, that'll be the day, woo hoo,
A
That'll be the day, woo hoo,
D
That'll be the day, woo hoo,
A
That'll be the day.

	A	‖

There She Goes

Words & Music by Lee Mavers

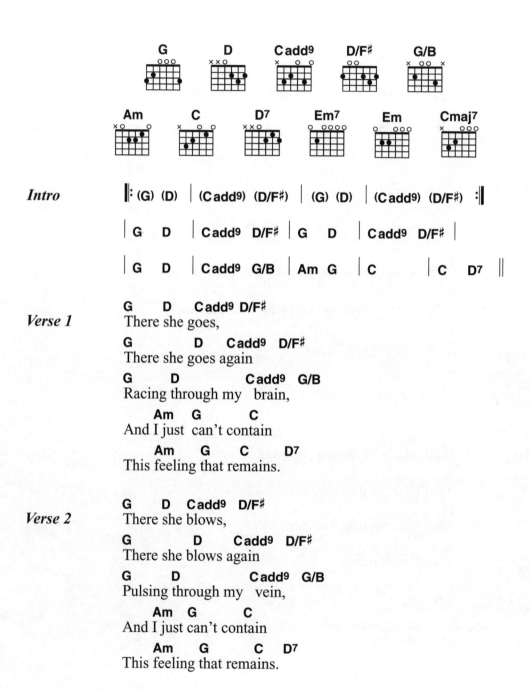

Intro

‖: (G) (D) | (Cadd9) (D/F♯) | (G) (D) | (Cadd9) (D/F♯) :‖

| G   D | Cadd9   D/F♯ | G   D | Cadd9   D/F♯ |

| G   D | Cadd9   G/B | Am   G | C | C   D7 ‖

Verse 1

G   D   Cadd9 D/F♯
There she goes,

G   D   Cadd9 D/F♯
There she goes again

G   D   Cadd9 G/B
Racing through my   brain,

     Am   G   C
And I just can't contain

       Am   G   C   D7
This feeling that remains.

Verse 2

G   D Cadd9 D/F♯
There she blows,

G   D   Cadd9   D/F♯
There she blows again

G   D   Cadd9 G/B
Pulsing through my   vein,

     Am   G   C
And I just can't contain

       Am   G   C D7
This feeling that remains.

| G   D | Cadd9 D/F# | G   D | Cadd9 D/F# | G   D |

| Cadd9 G/B | Am G | C | Am G | C | C   D7 ‖

Em7   C
There she goes,

Em7   C
There she goes again:

    D   D7 G
She calls my name,

D   D7 Cmaj7
Pulls my train,

D D7 G   D   D7   Cmaj7
No-one else could heal my pain.

    Am   Em
But I just can't contain

      C   D7
This feeling that remains.

G   D Cadd9 D/F#
There she goes,

G   D   Cadd9 D/F#
There she goes again

G   D   Cadd9 G/B
Chasing down my lane

     Am G   C
And I just can't contain

     Am   G   C D7
This feeling that remains.

G   D Cadd9 D/F#
There she goes,

G   D Cadd9 D/F#
There she goes,

G   D C D/F# G
There she goes a - gain.

This Charming Man

Words & Music by Morrissey & Johnny Marr

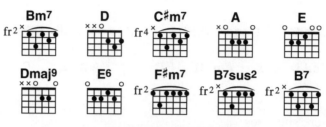

Tune guitar slightly flat

Intro | Bm⁷ | D | C♯m⁷ | A   ‖

Verse 1
N.C.   Bm⁷
Punctured bicycle

D   C♯m⁷   A
On a hillside desolate,

E   Bm⁷ | D | C♯m⁷
Will nature make a man of me yet?

A
When in this charming car,

E   Bm⁷   D C♯m⁷
This charm - ing man.

A
Why pamper life's complexity

When the leather runs smooth

E   Bm⁷ D C♯m⁷
On the passenger seat?_____

Pre-chorus 1
A
I would go out tonight

E   Bm⁷ D C♯m⁷
But I haven't got a stitch to wear,

A
This man said it's gruesome

E   Bm⁷ D C♯m⁷
That someone so handsome should care._____

Chorus 1

    Dmaj⁹ **E⁶** |**F♯m⁷**
Ah!   A jumped-up pantry boy

    B⁷sus²   **Dmaj⁹**
Who never knew his place,

    B⁷   **F♯m⁷**
He said, "Re - turn the ring".

    Dmaj⁹   **E⁶**   **F♯m⁷** **B⁷sus²**
He knows so much a - bout these things,

    Dmaj⁹   **E⁶**   **F♯m⁷**
He knows so much a - bout these things.

Pre-chorus 2

    N.C.   **A**
I would go out tonight

                  E   **Bm⁷** **D**   **C♯m⁷**
But I haven't got a stitch to wear,

      A
This man said it's gruesome

                  E |**Bm⁷** **D** **C♯m⁷**
That someone so handsome should care___

      A   **E**   **Bm⁷**   **D** **C♯m⁷**
La, la-la, la-la, la-la, this charm - ing man___

      A   **E**   **Bm⁷**   **D** **C♯m⁷**
Oh, la-la, la-la, la-la, this charm - ing man___

Chorus 2

    Dmaj⁹ **E⁶**   **F♯m⁷**
Ah!   a jumped-up pantry boy

    B⁷sus²   **Dmaj⁹**
Who never knew his place,

    B⁷   **F♯m⁷**
He said, "Re - turn the ring".

    Dmaj⁹   **E⁶**   **F♯m⁷**   **B⁷sus²**
He knows so much about these things,

    Dmaj⁹   **E⁶**   **F♯m⁷**
He knows so much a - bout these things.

    Dmaj⁹ **E⁶**   **F♯m⁷** **B⁷sus²**   **Dmaj⁹** **B⁷**   **F♯m⁷**
He knows so much a - bout these   things._____

Outro | **Dmaj⁹** |**E⁶** |**F♯m⁷** |**B⁷sus²**| **Dmaj⁹** | **B⁷** |**F♯m⁷** | **F♯m⁷** ‖

Times Like These

Words & Music by Dave Grohl, Taylor Hawkins, Nate Mendel & Chris Shiflett

D7add6   D5   C5   B5   D   Am7   C   Em7

Intro   ‖: D7add6 | D7add6 | D7add6 | D7add6 :‖

$\frac{7}{4}$| D5 | C5 | B5 | D |

| C5 | B5 | D | C5 |

$\frac{4}{4}$| D5 | D5 | D7add6 | D7add6 | D7add6 | D7add6 ‖

Verse 1

D   Am7
I, I'm a one way motorway,
               C   Em7   D7add6
I'm the one that drives away, follows you back home
D   Am7
I, I'm a street light shining,
               C   Em7   D7add6
I'm a white light blinding bright, burning off and on.

Uh - huh - uh.

Chorus 1

        C   Em7   D
It's times like these you learn to live a - gain,
        C   Em7   D
It's times like these you give, and give a - gain,
        C   Em7   D
It's times like these you learn to love a - gain,
        C   Em7   D7add6 | D7add6 |
It's times like these, time and time a - gain.

Link | D7add6 | D7add6 ‖

Verse 2

    D   Am⁷
I, I'm a new day rising,
                  C   Em⁷   D⁷add⁶
I'm a brand new sky to hang the stars upon to - night.
    D   Am⁷
I, I'm a little div - ided,
             C   Em7   D⁷add⁶
Do I stay or run away and leave it all be - hind?

Uh - huh - uh

Chorus 2

          C   Em⁷   D
It's times like these you learn to live a - gain,
          C   Em⁷   D
It's times like these you give, and give a - gain,
          C   Em⁷   D
It's times like these you learn to love a - gain,
          C   Em⁷   D⁵
It's times like these, time and time a - gain.

Link 2   ⁷⁄₄ | D⁵ | C⁵ | B⁵ | D | C⁵ | B⁵ |

               | D | C⁵ | B⁵ | D | C⁵ |

          ⁴⁄₄ | B⁵ | B⁵   ‖: D⁷add⁶| D⁷add⁶ | D⁷add⁶ | D⁷add⁶ :‖

Chorus 3

          C   Em⁷   D
‖: It's times like these you learn to live a - gain,
          C   Em⁷   D
It's times like these you give, and give a - gain,
          C   Em⁷   D
It's times like these you learn to love a - gain,
          C   Em⁷   D
It's times like these, time and time a - gain. :‖
          C   Em⁷   Dsus²
It's times like these you learn to live a - gain,
          C   Em⁷   Dsus²
It's times like these you give, and give a - gain,
          C   Em⁷   Dsus²
It's times like these you learn to love a - gain,
          C   Em⁷   Dsus² C
It's times like these, time and time a - gain.

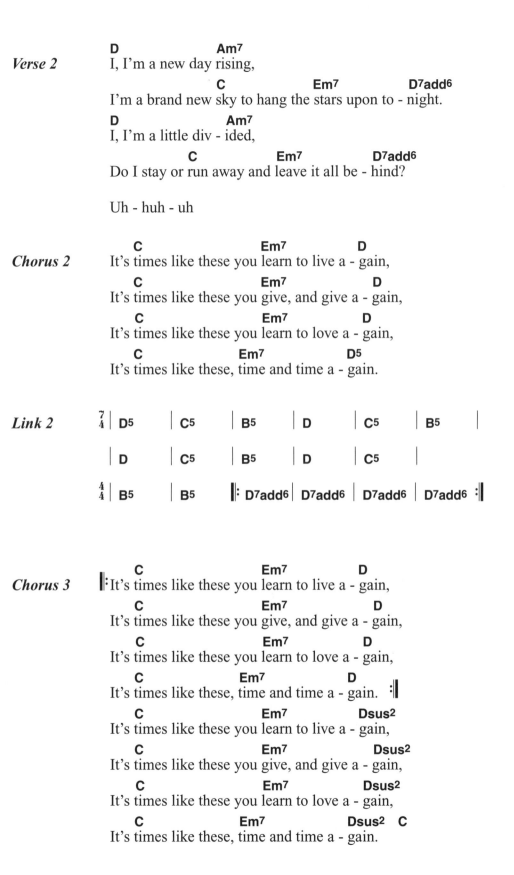

Up Around The Bend

Words & Music by John Fogerty

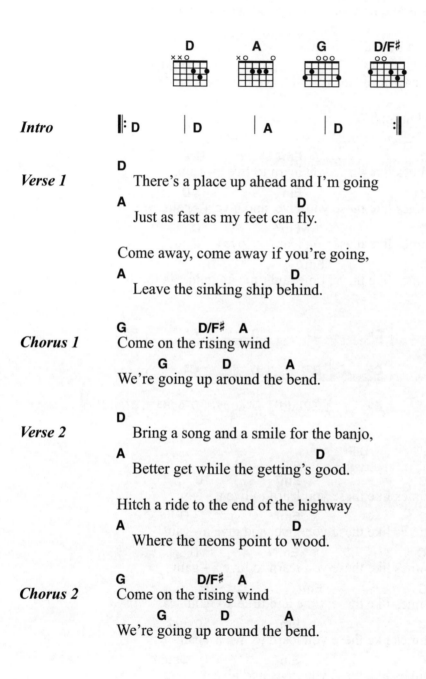

Intro   ‖: D | D | A | D :‖

Verse 1

D
There's a place up ahead and I'm going
A   D
Just as fast as my feet can fly.

Come away, come away if you're going,
A   D
Leave the sinking ship behind.

Chorus 1

G   D/F♯ A
Come on the rising wind
         G   D   A
We're going up around the bend.

Verse 2

D
Bring a song and a smile for the banjo,
A   D
Better get while the getting's good.

Hitch a ride to the end of the highway
A   D
Where the neons point to wood.

Chorus 2

G   D/F♯ A
Come on the rising wind
         G   D   A
We're going up around the bend.

Verse 3

     D
       You can ponder perpetual motion,
     A   **D**
       Fix your mind on a crystal day.

       Always time for a good conversation,
     A   **D**
       There's an ear for what you say.

Chorus 3

     G   **D/F♯** **A**
     Come on the rising wind
          G   **D**   **A**
     We're going up around the bend.

Link

‖: D | D | A | D   :‖

| G   D/F♯ | A | G   D | A | A   ‖

Verse 4

     D
       Catch a ride to the end of the highway
     A   **D**
       And we'll meet by the big red tree.

       There's a place up ahead and I'm going
     A   **D**
       Come along, come along with me.

Chorus 4

     G   **D/F♯** **A**
     Come on the rising wind
          G   **D**   **A**
     We're going up around the bend.

Coda

‖: D | D | A | D   :‖   *Repeat to fade*

Tumbling Dice

Words & Music by Mick Jagger & Keith Richards

A **D/A** **A/C#** **A/D** fr² **E** **D** **E⁷sus⁴**

Capo second Fret

Intro

|A D/A A D/A A |A D/A A D/A A |A D/A A D/A A |A D/A A D/A |

Wo yeah! (Woo_____)

Verse 1

    A   D/A   A
Women think I'm tasty

D/A A   D/A   A   D/A
but   they're always tryin' to waste me

        A   D/A   A   D/A A   D/A A/C# A/D
And make me burn the candle right down.

    E   A E   A
But ba - by, ba - by

    D   E
I don't need no jewels in my crown.

Verse 2

       A D/A A   D/A A D/A A   D/A
'Cause all you women is   low down gamblers

A   D/A A   D/A A D/A A
Cheatin' like I don't know   how.

    E   A E   A
But ba - by, ba - by,

       D   E
There's fever in the funk house now.

    A D/A   A D/A A   D/A A   A   D/A
This low down bitchin' got   my poor feet a itchin'

A   D/A   A   D/A A   D/A A/C# A/D
Don't you know the duece is still wild.

Chorus 1

   E   A E   A   D
Ba - by, I can't stay, you got to roll____ me

  (A/C#)   (E⁷sus⁴) A   D/A A D/A A D/A A D/A
And call me the tumblin' dice.

Verse 3

```
A       D/A A    D/A A      D/A  A     D/A
Always in a hurry,      I never stop to worry
A       D/A  A         D/A A  D/A A
Don't you see the time flashing   by?
E    A        E    A
Ho - ney, got no mo - ney,
         D              E
I'm all sixes and sevens and nines
A   D/A A    D/A A         D/A A    D/A
Say now baby, I'm the rank out  -  sider
A     D/A   A     D/A A
You can be my partner in   crime.
```

Chorus 2

```
      E   A   E   A              D
But ba - by, I can't stay, you got to roll___ me
   (A/C#)     (E7sus4)
And call me the tumblin'
D              (A/C#)      (E7sus4) A
Roll___ me and call me the tumblin' dice.
```

Instrumental

```
                x6
‖: A D/A A D/A A :‖ E    A  | E   A  | D        | E          |
```

Verse 4

```
    A    D/A  A   D/A A      D/A A    D/A
Oh, my, my,  my,  I'm the  lone crap    shooter,
A     D/A    A   D/A A
Playin' the field   every    night.
```

Chorus 3

```
      E   A   E   A
But ba - by, I can't stay, you got to
D              (A/C#)      (E7sus4)
Roll___ me and call me the tumblin' dice
D              (A/C#)      (E7sus4)
Roll___ me, (call me the tumblin')
       D      A    E
Got to roll me,
       D      A    E
Got to roll me,
       D      A    E
Got to roll me,
       D      A    E
Got to roll me,
       D      A    E
Got to roll me,
```

     D   **A**   **E**
Got to roll me, (keep on rolling)

     D   **A**   **E**
Got to roll me, (keep on rolling)

     D   **A**   **E**
Got to roll me, (keep on rolling)

     D   **A**   **E**
Got to roll me, my baby call me the tumblin' dice, yeah

     D   **A**   **E**
Got to roll me

     D   **A**   **E**
Got to roll me, baby sweet as sugar

     D   **A**   **E**
Got to roll me, yeah, my, my, my, yeah

     D   **A**   **E**
Got to roll me, oh

     D
Got to roll me (hit me), baby I'm down. . . *(to fade)*

Voulez-Vous

Words & Music by Benny Andersson & Bjorn Ulvaeus

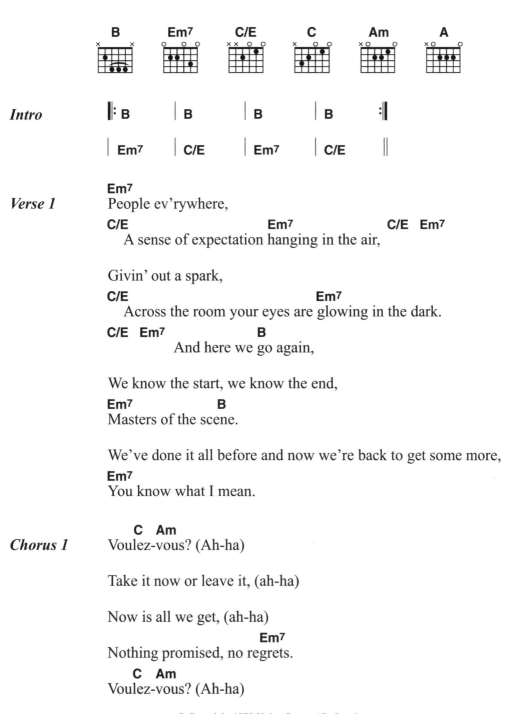

Intro

|: B | B | B | B :|

| Em⁷ | C/E | Em⁷ | C/E ||

Verse 1

Em⁷
People ev'rywhere,
C/E   Em⁷   C/E   Em⁷
  A sense of expectation hanging in the air,

Givin' out a spark,
C/E   Em⁷
  Across the room your eyes are glowing in the dark.
C/E   Em⁷   B
              And here we go again,

We know the start, we know the end,
Em⁷   B
Masters of the scene.

We've done it all before and now we're back to get some more,
Em⁷
You know what I mean.

Chorus 1

          C   Am
Voulez-vous? (Ah-ha)

Take it now or leave it, (ah-ha)

Now is all we get, (ah-ha)
                                        Em⁷
Nothing promised, no regrets.
          C   Am
Voulez-vous? (Ah-ha)

233

cont.   Ain't no big decision, (ah-ha)

You know what to do, (ah-ha)

                  Em7
La question c'est voulez-vous?

    C A
Voulez-vous?

Instrumental ‖: B | B | B | B   :‖

         | Em7 | C/E | Em7 | C/E   ‖

        Em7
Verse 2   I know what you think,

        C/E   **Em7**   **C/E Em7**
   "The girl means business so I'll offer her a drink."

Lookin' mighty proud,

C/E   **Em7**
  I see you leave your table, pushin' through the crowd.
C/E Em7   **B**
     I'm really glad you came,

You know the rules, you know the game,
Em7   **B**
Master of the scene.

We've done it all before and now we're back to get some more.
Em7
You know what I mean.

       C Am
Chorus 2 Voulez-vous? (Ah-ha)

Take it now or leave it, (ah-ha)

Now is all we get, (ah-ha)

                    Em7
Nothing promised, no regrets.
    C Am
Voulez-vous? (Ah-ha)

Ain't no big decision, (ah-ha)

You know what to do, (ah-ha)

                  Em7
La question c'est voulez-vous?

Verse 3

                    B
And here we go again,

We know the start, we know the end,
Em7   **B**
Masters of the scene.

We've done it all before and now we're back to get some more,
Em7
You know what I mean.

          C **Am**
Chorus 3   Voulez-vous? (Ah-ha)

Take it now or leave it, (ah-ha)

Now is all we get, (ah-ha)
                   Em7
Nothing promised, no regrets.
    C **Am**
Voulez-vous? (Ah-ha)

Ain't no big decision, (ah-ha)

You know what to do, (ah-ha)
                 Em7
La question c'est voulez-vous?
    C **A**
Voulez-vous?

Instrumental **‖: B**   **| B**   **| B**   **| B**   **:‖ Em7**   **|**

         C **Am**   **Em7**
Outro   Voulez-vous? (Ah-ha, ah-ha, ah-ha)
         C **Am**   **Em7**
Voulez-vous? (Ah-ha, ah-ha, ah-ha)
          C **Am**
‖: Voulez-vous? Take it now or leave it, (ah-ha)

Now is all we get, (ah-ha)
                 Em7
Nothing promised, no regrets. **:‖**   *Repeat to fade*

Walking On The Moon

Words & Music by Sting

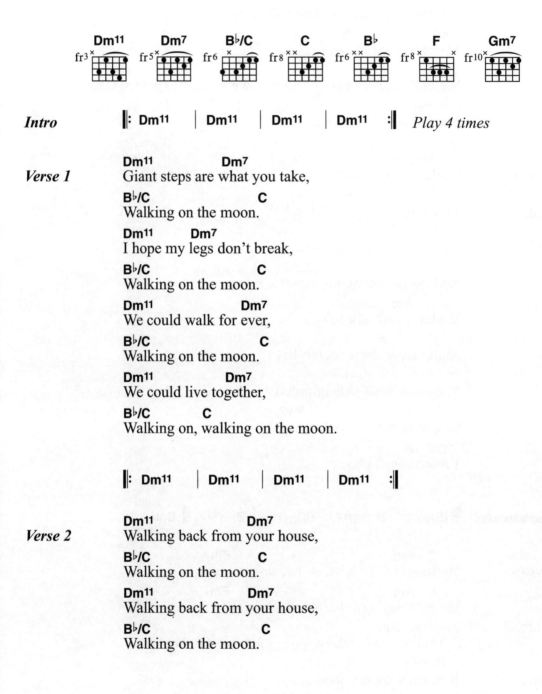

Intro   ‖: Dm11 | Dm11 | Dm11 | Dm11 :‖   *Play 4 times*

Verse 1

Dm11   Dm7
Giant steps are what you take,

B♭/C   C
Walking on the moon.

Dm11   Dm7
I hope my legs don't break,

B♭/C   C
Walking on the moon.

Dm11   Dm7
We could walk for ever,

B♭/C   C
Walking on the moon.

Dm11   Dm7
We could live together,

B♭/C   C
Walking on, walking on the moon.

‖: Dm11 | Dm11 | Dm11 | Dm11 :‖

Verse 2

Dm11   Dm7
Walking back from your house,

B♭/C   C
Walking on the moon.

Dm11   Dm7
Walking back from your house,

B♭/C   C
Walking on the moon.

(cont.)

Dm¹¹   **Dm⁷**
Feet don't hardly touch the ground,

B♭/C   **C**
Walking on the moon.

    Dm¹¹   **Dm⁷**
My feet don't hardly make no sound,

B♭/C   **C** | **Dm¹¹** | **Dm¹¹** ‖
Walking on, walking on the moon.

Bridge 1

B♭   **F**   **C**
Some may say,

            Gm⁷   **B♭**
I'm wishing my days away.

   F   **C**
No way,

          Gm⁷   **B♭**
And if it's the price I pay

   F **C**
Some say,

          Gm⁷   **B♭**
Tomorrow's another day.

      F
You'll stay

   C
I may as well play.

Instrumental ‖: **Dm¹¹** | **Dm¹¹** | **Dm¹¹** | **Dm¹¹** :‖

Verse 3   As Verse I

Bridge 2   As Bridge 1

Outro   **Dm¹¹**
‖: Keep it up,   keep it up. :‖ *Repeat to fade*

The Whole Of The Moon

Words & Music by Mike Scott

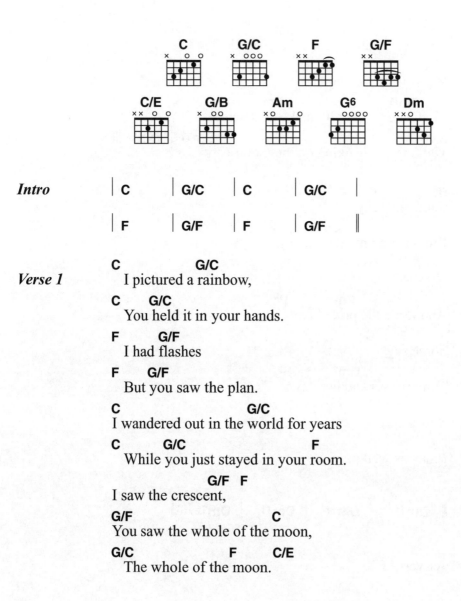

Intro | C | G/C | C | G/C |

| F | G/F | F | G/F ‖

Verse 1

C   G/C
I pictured a rainbow,

C   G/C
You held it in your hands.

F   G/F
I had flashes

F   G/F
But you saw the plan.

C   G/C
I wandered out in the world for years

C   G/C   F
While you just stayed in your room.

                  G/F F
I saw the crescent,

G/F   C
You saw the whole of the moon,

G/C   F   C/E
The whole of the moon.

Verse 2

           C
You were there in the turn stiles
              G/C
With the wind at your heels.
           C
You stretched for the stars
              G/C
And you know how it feels to reach
F   **G/F**   **F**
Too high, too far, too soon,
G/F   **C**
You saw the whole of the moon.

Verse 3

              G/C
I was grounded
        C   **G/C**
  While you filled the skies.
        F   **G/F**   **F**
  I was dumbfounded by truth,
G/F
You cut through lies.
C   **G/C**   **C**
I saw the rain dirty valley,
G/C
You saw Brigadoon.
F   **G/F** **F**
  I saw the crescent,
G/F   **C**
You saw the whole of the moon.

Instrumental | (C) | G/C | C | G/C |

                  | F | G/F | F | G/F   ‖

Middle

   C   G/B Am
I spoke about wings,

G6
You just flew.

  F   **C/E** **Dm**
I wondered, I guessed and I tried,

C/E
You just knew.

  C   **G/C**
I sighed,

C   **G/C**
  And you swooned!

  F   **G/F** **F**
I_ saw the crescent,

G/F   **C**
You saw the whole of the moon,

G/C   **F**   **G/F**
  The whole of the moon.

Verse 4

       C
With a torch in your pocket

    G/C
And the wind at your heels.

   C
You climbed on the ladder

      G/C
And you know how it feels to get

F   **G/F**   **F**
Too high, too far, too soon,

G/F   **C**
You saw the whole of the moon,

G/C   **F**
  The whole of the moon.

    G/F
Hey, yeah!

Verse 5

C
Unicorns and cannonballs,

G/C
Palaces and piers.

C
Trumpets, towers and tenements,

      G/C
Wide oceans full of tears.

F
Flags, rags, ferryboats,

G/F
Scimitars and scarves,

F
Every precious dream and vision

G/F
Underneath the stars.

        C
Yes, you climbed on the ladder

        G/C
With the wind in your sails.

    C
You came like a comet,

G/C
Blazing your trail

F   G/F   F
Too high, too far, too soon,

G/F   C   G/C
You saw the whole of the moon.

Outro   ‖: C | C/G   :‖ *Play 10 times (vocals ad. lib.)*

           | C | C   ‖

Wild Thing

Words & Music by Chip Taylor

A   D   E   G6

Intro | A   D | E   ‖

Chorus 1
    A   D E
Wild thing,
    D   A   D E
You make my heart sing,
    D   A   D   E
You make everything groovy,
    D A   D
       Wild thing.

Link 1 | E   G6 A G6 ‖

Verse 1
    A N.C.   G6 A G6
    Wild thing I think I love you
    A N.C.   G6 A G6
    But I want to know for sure.
    A N.C.   G6 A G6
    So come on and hold me tight.
    A N.C.
    I love you.

Link 2 | A   D | E   D | A   D | E   D   ‖

Chorus 2
    A   D E
Wild thing,
    D   A   D E
You make my heart sing,
    D   A   D   E
You make everything groovy,
    D A   D E
       Wild thing.

Recorder solo | A   D | E   D | A   D | E   D |

| A   D | E   D | A   D | E   G6 A G6 ||

Verse 2

A N.C.   G6 A G6
Wild thing I think you move me

A N.C.   G6 A G6
But I wanna know for sure.

A N.C.   G6 A G6
So come on and hold me tight.

A N.C.
You move me.

Link 3 | A   D | E   D | A   D | E | E | E | E ||

Chorus 3

A   D E
Wild thing,

D   A   D E
You make my heart sing,

D   A   D   E
You make everything groovy,

D A   D E
  Wild thing.

Chorus 4

D   A   D
Come on, come on, wild thing.

E D   A   D | E | E | E ||
  Shake it, shake it, wild thing.   Ahh.

Wish You Were Here

Words & Music by David Gilmour & Roger Waters

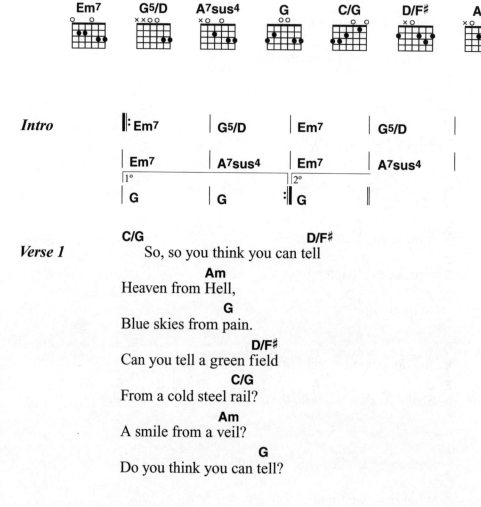

| Em7 | G5/D | A7sus4 | G | C/G | D/F♯ | Am |

Intro

‖: Em7 | G5/D | Em7 | G5/D |

| Em7 | A7sus4 | Em7 | A7sus4 |

1° | G | G | 2° :‖ G ‖

Verse 1

        C/G   **D/F♯**
So, so you think you can tell

        Am
Heaven from Hell,

        G
Blue skies from pain.

                   D/F♯
Can you tell a green field

           C/G
From a cold steel rail?

        Am
A smile from a veil?

           G
Do you think you can tell?

Verse 2

              C/G
Did they get you to trade
            D/F♯
Your heroes for ghosts?
          Am
Hot ashes for trees?
          G
Hot air for a cool breeze?
            D/F♯
Cold comfort for change?
             C/G
And did you exchange
                Am
A walk-on part in the war
               G
For a lead role in a cage?

Solo

Em7	G5/D	Em7	G5/D	
Em7	A7sus4	Em7	A7sus4	
G	‖			

Verse 3

  C/G   **D/F♯**
  How I wish, how I wish you were here.
          Am
We're just two lost souls swimming in a fish bowl,
G
  Year after year,
D/F♯
  Running over the same old ground.
C/G
  What have we found?
           Am
The same old fears.
           G
Wish you were here.

Outro

‖: Em7	G5/D	Em7	G5/D	
Em7	A7sus4	Em7	A7sus4	
G	G	:‖	*Play 3 times (fade quickly on 3rd)*

Whiskey In The Jar

Traditional

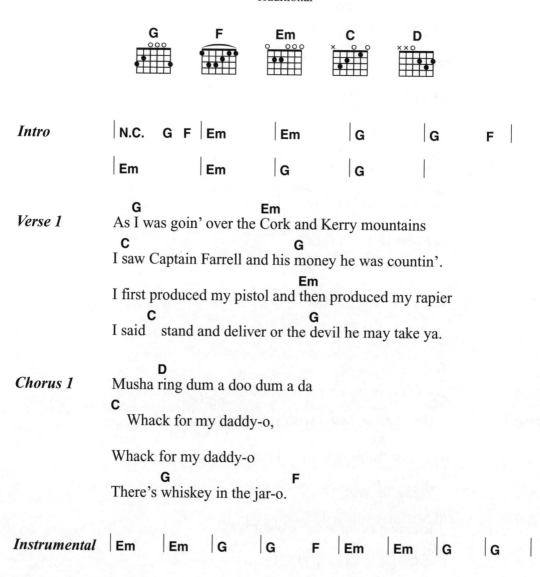

Intro

| N.C. G F | Em | Em | G | G F |

| Em | Em | G | G | |

Verse 1

G   Em
As I was goin' over the Cork and Kerry mountains
C   G
I saw Captain Farrell and his money he was countin'.
                                 Em
I first produced my pistol and then produced my rapier
           C   G
I said   stand and deliver or the devil he may take ya.

Chorus 1

            D
Musha ring dum a doo dum a da
C
   Whack for my daddy-o,

Whack for my daddy-o
              G   F
There's whiskey in the jar-o.

Instrumental

| Em | Em | G | G F | Em | Em | G | G | |

Verse 2

G   Em
I took all of his money and it was a pretty penny
C   G
I took all of his money and I brought it home to Molly.
                           Em
She swore that she'd love me, never would she leave me
           C   G
But the devil take that woman for you know she trick me easy.

Chorus 2

           D
Musha ring dum a doo dum a da
   C
    Whack for my daddy-o,

Whack for my daddy-o
      G   **F**
There's whiskey in the jar-o.

Guitar Solo

Em	Em	G	G	Em	Em	C	C	
G	G	G	G	Em	Em	C	C	
G	G	D	D	C	C	C	C	
G	G F	Em	Em	G				
G F	Em	Em	G	G				

Verse 3

    G   **Em**
Being drunk and weary I went to Molly's chamber
    C   **G**
Takin' my money with me and I never knew the danger.
                    Em
For about six or maybe seven in walked Captain Farrell
       C   **G**
I jumped up, fired off my pistols and I shot him with both barrels.

Chorus 3

           D
Musha ring dum a doo dum a da
   C
    Whack for my daddy-o,

Whack for my daddy-o
      G   **F**
There's whiskey in the jar-o.

Instrumental

| Em | Em | G | G | F | Em | Em | G | G | |

Wake Me Up Before You Go Go

Words & Music by George Michael

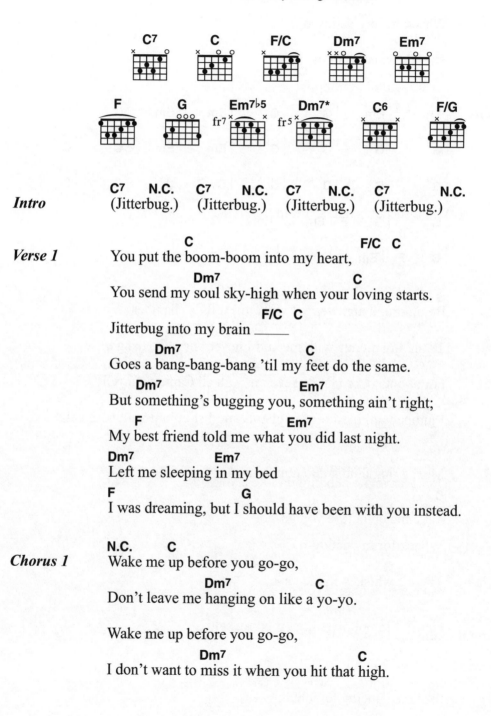

Intro

| C7 | N.C. | C7 | N.C. | C7 | N.C. | C7 | N.C. |

(Jitterbug.)   (Jitterbug.)   (Jitterbug.)   (Jitterbug.)

Verse 1

             C   **F/C C**
You put the boom-boom into my heart,

             Dm7   **C**
You send my soul sky-high when your loving starts.

                   F/C C
Jitterbug into my brain _____

         Dm7   **C**
Goes a bang-bang-bang 'til my feet do the same.

    Dm7   **Em7**
But something's bugging you, something ain't right;

       F   **Em7**
My best friend told me what you did last night.

Dm7   **Em7**
Left me sleeping in my bed

F   **G**
I was dreaming, but I should have been with you instead.

Chorus 1

N.C.   **C**
Wake me up before you go-go,

           Dm7   **C**
Don't leave me hanging on like a yo-yo.

Wake me up before you go-go,

           Dm7   **C**
I don't want to miss it when you hit that high.

cont.   Wake me up before you go-go
             Dm⁷   **C**
     'Cause I'm not planning on going solo.

     Wake me up before you go-go,
     Em⁷♭5   **Dm⁷***   **C⁷** | **C⁶** | **C**   ‖
     Take me dancing tonight.

     C⁷   **C⁶** **C**
Link 1   I wanna hit that high _____(yeah, yeah).

               C   **F/C** **C**
Verse 2   You take the grey skies out of my way,
                Dm⁷   **C**
     You make the sun shine brighter than Doris Day.
                               F/C **C**
     You turned a bright spark into a flame;
        Dm⁷   **C**
     My beats per minute never been the same.
         Dm⁷   **Em⁷**
     'Cause you're my lady, I'm your fool;
      F   **Em⁷**
     It makes me crazy when you act so cruel.
     Dm⁷   **Em⁷**
     Come on, baby, let's not fight;
     F   **G**
     We'll go dancing, everything will be all right.

     N.C.   **C**
Chorus 2   Wake me up before you go-go,
              Dm⁷   **C**
     Don't leave me hanging on like a yo-yo.

     Wake me up before you go-go,
              Dm⁷   **C**
     I don't want to miss it when you hit that high.

     Wake me up before you go-go
              Dm⁷   **C**
     'Cause I'm not planning on going solo.

     Wake me up before you go-go,
     Em⁷♭5   **Dm⁷***   **C⁷** | **C⁶** | **C**   ‖
     Take me dancing tonight.

Link 2

       C7   **C6** **C**

I wanna hit that high _____(yeah, yeah).

Instrumental | **C** | **C** | **Dm7** | **C** |
(Jitterbug.)

| **C** | **C** | **Dm7** | **C** |
(Jitterbug.)

Verse 3

Dm7   **Em7**

Cuddle up, baby, move in tight;

F   **Em7**

We'll go dancing tomorrow night.

    Dm7   **Em7**

It's cold out there, but it's warm in bed.

F   **F/G**   **C** | **C** | **Dm7** | **C** ‖

They can dance, we'll stay home instead. _____

Link 3 | **C** | **C** | **Dm7** | **Em7b5** ‖
(Jitterbug.)

Chorus 3

   Dm7*   **C**

‖: Wake me up before you go-go,

              Dm7   **C**

Don't leave me hanging on like a yo-yo.

Wake me up before you go-go,

              Dm7   **C**

I don't want to miss it when you hit that high.

Wake me up before you go-go

              Dm7   **C**

'Cause I'm not planning on going solo.

Wake me up before you go-go,

Dm7   **Em7b5**

Take me dancing tonight. :‖ *Repeat to fade*
                                   with vocal ad lib.

With Or Without You

Words & Music by U2

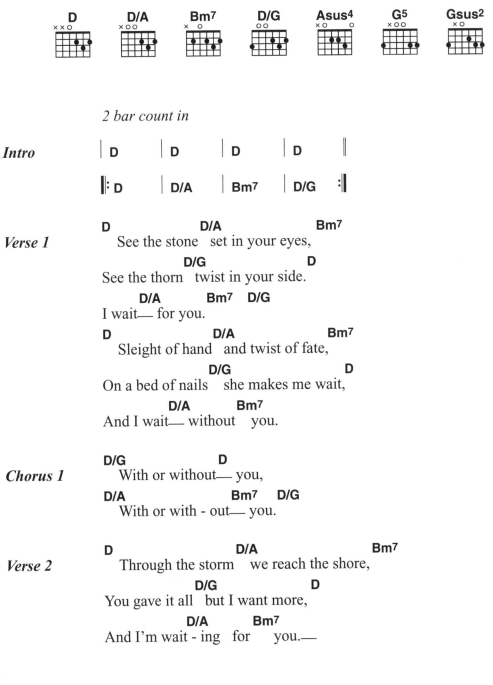

D | D/A | Bm7 | D/G | Asus4 | G5 | Gsus2

2 bar count in

Intro

| D | D | D | D |

‖: D | D/A | Bm7 | D/G :‖

Verse 1

   D   D/A   Bm7
See the stone   set in your eyes,
                 D/G   D
See the thorn   twist in your side.
         D/A   Bm7   D/G
I wait— for you.
   D   D/A   Bm7
Sleight of hand   and twist of fate,
              D/G   D
On a bed of nails   she makes me wait,
           D/A   Bm7
And I wait— without   you.

Chorus 1

D/G   D
With or without— you,
D/A   Bm7   D/G
With or with - out— you.

Verse 2

   D   D/A   Bm7
Through the storm   we reach the shore,
              D/G   D
You gave it all   but I want more,
          D/A   Bm7
And I'm wait - ing for   you.—

Chorus 2

D/G   D
With or without you,

D/A   Bm7   D/G
With or with - out you.

              D
I can't live

D/A   Bm7   D/G
With or with - out you.

Link 1

| D | D/A | Bm7 | D/G ||

                          (And you)

Bridge

D/G   D   D/A
And you give yourself away,—

            Bm7   D/G
And you give   yourself away,—

            D   D/A
And you give,   and you give,—

          Bm7   D/G
And you give yourself away.—

Verse 3

D   D/A
My hands are tied,

Bm7   D/G
My body bruised,

            D   D/A
She got me with   nothing to win,

       Bm7   D/G
And nothing else to lose.—

Bridge 2   As Bridge 1

Chorus 3   As Chorus 2

Link 2

```
| D        | D/A      |          |
  Whoa,————
| Bm7      | D/G      |          |
  Ho,—————
| D        | D/A      | Bm7      | D/G                        ‖
  Whoa,———————————————————        (With or without)
```

Chorus 4

```
                      D         D/A
  With or with - out you,
                      Bm7       D/G
  With or with - out you,
                    D    Asus4
  I can't live————
                      Bm7       G5
  With or with - out you.
                      D    | D        | D        | D        ‖
  With or with - out you.
```

Outro

```
‖: D        | Asus4    | Bm7      | Gsus2 :‖  Repeat to fade
   Ooh.——————————————————————————————
```

You'll Never Walk Alone

Words by Oscar Hammerstein II
Music by Richard Rodgers

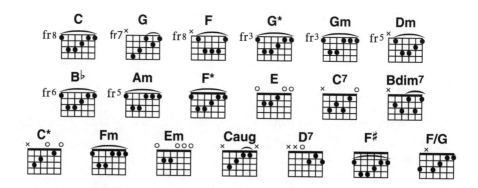

Verse 1

N.C. C
When you walk through a storm

      G
Hold your head up high,

    F   C   G* Gm
And don't be a - fraid of the dark.

    Dm   B♭
At the end of a storm

      F Dm
There's a golden sky,

     B♭ Am Gm F* E C7
And the sweet silver sound of a lark.

Bridge 1

     F*   Bdim7
Walk on through the wind,

  C* Fm
Walk on through the rain,

     C*   Em   F* G*
Tho your dreams be tossed and blown.__

Chorus 1

      C*   Caug
Walk on, walk on,

         F*   D7
With hope in your heart,

             C*   Caug F* F♯   Em   G*
And you'll nev - er   walk   a - lone,

            C*   Caug F*   G*   C*   G*
You'll nev - er   walk   a - lone.

Chorus 2

          C*   Caug
Walk on, walk on,

         F*   D7
With hope in your heart

             C*   Caug F* F♯   Em   G*
And you'll nev - er   walk   a - lone,

         C* N.C.   F*   F/G F*   C*
You'll nev - er   walk   a - lone.———

Relative Tuning

The guitar can be tuned with the aid of pitch pipes or dedicated electronic guitar tuners which are available through your local music dealer. If you do not have a tuning device, you can use relative tuning. Estimate the pitch of the 6th string as near as possible to E or at least a comfortable pitch (not too high, as you might break other strings in tuning up). Then, while checking the various positions on the diagram, place a finger from your left hand on the:

5th fret of the E or 6th string and **tune the open A** (or 5th string) to the note Ⓐ

5th fret of the A or 5th string and **tune the open D** (or 4th string) to the note Ⓓ

5th fret of the D or 4th string and **tune the open G** (or 3rd string) to the note Ⓖ

4th fret of the G or 3rd string and **tune the open B** (or 2nd string) to the note Ⓑ

5th fret of the B or 2nd string and **tune the open E** (or 1st string) to the note Ⓔ

E or 6th	A or 5th	D or 4th	G or 3rd	B or 2nd	E or 1st

Head

Nut

1st Fret

2nd Fret

3rd Fret

4th Fret

5th Fret

Reading Chord Boxes

Chord boxes are diagrams of the guitar neck viewed head upwards, face on as illustrated. The top horizontal line is the nut, unless a higher fret number is indicated, the others are the frets.

The vertical lines are the strings, starting from E (or 6th) on the left to E (or 1st) on the right.

The black dots indicate where to place your fingers.

Strings marked with an O are played open, not fretted. Strings marked with an X should not be played.

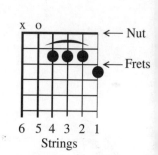

← Nut

← Frets

6 5 4 3 2 1
Strings

The curved bracket indicates a 'barre' - hold down the strings under the bracket with your first finger, using your other fingers to fret the remaining notes.

23456789

1/06(57304)